IAN MECLER

A DIETA DA CABALA

IAN MECLER

A DIETA DA CABALA

22 dias para transformar corpo, mente e alma

2ª edição

EDITORA RECORD
RIO DE JANEIRO • SÃO PAULO
2018

CAPA e PROJETO GRÁFICO DE MIOLO
Gabinete de Artes

CIP-BRASIL. CATALOGAÇÃO-NA-FONTE
SINDICATO NACIONAL DOS EDITORES DE LIVROS, RJ

M435d
2ª. ed.
Mecler, Ian, 1967-
A dieta da cabala : 22 dias para transformar corpo, mente e alma / Ian Mecler.
- 2ª. ed. - Rio de Janeiro: Record, 2018.
150 p. : il. ; 23 cm.

ISBN 978-85-01-09976-1

1. Autorrealização (Psicologia). 2. Sucesso. I. Título.

15-22679 CDD: 158.1
CDU: 159.947

Este livro foi revisado segundo o novo Acordo Ortográfico da Língua Portuguesa
Direitos desta tradução adquiridos pela
EDITORA RECORD

Rua Argentina, 171 – 20.921-380 – Rio de Janeiro, RJ – Tel.: (21) 2585-2000

Seja um leitor preferencial Record.
Cadastre-se e receba informações sobre nossos lançamentos e nossas promoções.
Atendimento e venda direta ao leitor:
mdireto@record.com.br ou (21) 2585-2002.

Impresso no Brasil
2018

Este livro é dedicado aos que cultivam a beleza interior!

SUMÁRIO

Agradecimentos

Família, amigos, alunos, mestres, este livro não teria sido escrito se não fosse pela participação de pessoas especiais, que me ensinaram que dar e receber são, na verdade, uma mesma coisa.

Como aqui não há espaço para agradecer a todos, cito nominalmente os que ajudaram diretamente na realização desta obra: Abrahão Mecler (*in memoriam*), Andréia Amaral, Cle Shamai, Cristine Ferraciu, Davi Mecler, Divaldo Há Ruach, Edinei Castro, Edir Semblano, Eliza Zerpini, Fernando Tefilá, Jaime Eduardo Simão, Jordana Mecler, Karla Kitamura, Kátia Mecler, Lucia Tová, Luiza Brito, Naide Refuá, Natan Mecler, Mel Haassia, Miriam Pavani, Nádia Chaver, Nair Semblano, Paulo Shamash, Renata Panzuto, Renata Raia, Rav Coach, Rav Meier, Rav Nerruniá, Rosinha Goldenstein, Ruth Szapiro.

Motivação

A dieta da Cabala nasceu com o elevado propósito de trazer cura para todo tipo de maus hábitos, através de uma injeção de Luz. Ela é toda baseada neste conceito: a injeção de Luz. Novos hábitos positivos, conexões com a semente, alimentos saudáveis, salmos mágicos, tudo isso cortará não apenas a compulsão alimentar, como também atingirá a raiz dos padrões negativos.

Trata-se de um curso composto de 22 aulas práticas. Diferente das dietas em geral, esta é voltada não apenas para o corpo, mas também para a mente e a alma. Porque a Cabala ensina que não podemos mexer no espelho sem mexer na imagem original. Por isso é uma dieta revolucionária: porque ela mexe na origem.

Do leitor, é exigido disciplina. Procure praticar com afinco todas as 22 receitas, na ordem em que são apresentadas, uma a cada dia. O resultado final vai lhe trazer algo surpreendente, que as dietas, em geral, não costumam trazer: uma real transformação!

Mas lembre-se de que a grande chave é a Prática. Os resultados obtidos serão diretamente proporcionais ao seu envolvimento com os exercícios para o corpo, mente e alma!

O fundamento

Este livro é fundamentado na sabedoria da Cabala, raiz em que se encontra o conhecimento base da maioria das religiões e caminhos espirituais. Trata-se de um acervo de conhecimento de rara profundidade, que revela os códigos da Bíblia, dos Salmos de Davi e outros textos espirituais de grande relevância.

Diferentemente do que muitos pensam, não se trata de patrimônio de um determinado povo ou etnia, mas de toda a humanidade. Independentemente de sua religião, você pode obter imensos benefícios ao estudar a Cabala e seus princípios fundamentais. Abraão, Moisés, Elias e Jesus são alguns dos mestres que foram iniciados à Cabala.

Essa sabedoria essencial foi transmitida oralmente de mestre para discípulo, até a época de Abraão, quatro mil anos atrás. O patriarca é apontado como o autor do primeiro grande texto da Cabala, o Sefer Ietsirá (livro da criação). Foi ele quem transmitiu os poderosos ensinamentos do sefer para sua descendência, passando assim por Isaac, Jacó e José, chegando até Moisés dois séculos mais tarde.

Moisés escreveu o texto principal da sabedoria da Cabala, a Torá, e deixou o legado para Josué, seu sucessor imediato. A informação continuou a ser transmitida pelos líderes espirituais, passando pelos profetas, pelo filho de Davi, Salomão, até chegar a Rav Akiva e Rav Simeon Bar Yochai, no século I. Simeon escreveu o Zohar, texto profético da Cabala, que revela códigos para o acesso a um mundo mágico.

Trata-se de uma sabedoria de imensa relevância, que abrange todas as áreas da existência humana, incluindo filosofia, meditação, alimentação, postura de vida, integridade, misticismo, entre outros. Nos utilizamos desta sabedoria milenar, profunda, repleta de verdade, para uma missão tanto difícil quanto libertadora: a cura dos vícios e compulsões!

Parte I

CORPO, MENTE E ALMA

1

Introdução

Era início da década de 1920, quando um ex-oficial do exército americano foi convidado para uma recepção em homenagem a ex-combatentes. Ele tinha pouco mais de 20 anos de idade e ali tomava o primeiro drink de sua vida. Meses depois, outro jantar, e um novo drink, que, segundo ele, teria sido a sensação mais prazerosa de toda a sua existência.

Os anos se passaram, o hábito se acentuou, até que, com o rompimento do casamento e a crise de 1929, que lhe trouxe a bancarrota, ele passou a beber dois litros de gim por dia. Nessa época, foi visitado por um dos seus colegas de "copo", que disse ter conseguido ficar sóbrio, porque havia se tornado religioso.

Ele se surpreendeu, pois já havia tentado lutar contra o álcool durante anos, sem qualquer resultado. Ateu convicto, em seu entendimento o amigo tinha apenas trocado a obsessão pelo álcool pela obsessão religiosa. Então prosseguiu com seu vício, até que, com o passar dos meses, sua doença tomou rumos mórbidos, levando-o à internação.

Em sua biografia, ele relata dias de pânico. Na tentativa de largar o álcool, foi necessário que lhe amarrassem à cama. Um dia, desesperado, no fundo do poço, sem dormir há dias, ele gritou: "Se existir um Deus, que se mostre para mim!"

Imediatamente, uma luz extraordinária o envolveu, quando ele sentiu uma brisa que refrescava não apenas seu corpo, mas também sua alma, de forma que a força superior não era mais objeto de um estudo intelectual, mas uma experiência única e reconfortante. Experiência tão intensa que o desligamento da obsessão pelo álcool foi imediato. Nunca mais ele tomaria um drink, alcançando uma santa libertação.

Desejando levar sua experiência a mais pessoas, esse homem passou a estudar sobre diversas religiões e descobriu que a maior parte das experiências religiosas tinha como denominador comum o colapso do ego e a conexão com algo maior e mais poderoso.

Essa é a história de Bill Wilson, fundador dos Alcoólicos Anônimos, irmandade que já ajudou milhões de pessoas em todo o mundo na libertação do perverso vício do álcool.

Poderia ter sido mais uma história de um homem dominado pelos maus hábitos e que deixou escapar a grande oportunidade de sua vida. Mas não. Bill conheceu o poder da conexão com essa força que tudo criou e, a partir dela, encontrou não apenas a cura para sua doença mas também um novo propósito para guiar sua vida, ajudando seus semelhantes no processo de libertação.

Ele já havia tentado psicoterapia, medicamentos, internações, e nada surtia efeito. Quando admitiu sua impotência em retomar as rédeas de sua vida e percebeu uma presença maior, a cura aconteceu.

O ponto mais abençoado nessa história é que não se trata de sorte única, mas de uma possibilidade para todos nós. Depoimentos semelhantes são encontrados entre a maioria das pessoas que conseguiu superar grandes obstáculos.

É sobre isso que a Cabala fala quando utiliza a expressão "injeção de Luz". Sobre a possibilidade de reconhecermos o quanto somos pequenos diante da existência e, por isso, entregar as maiores questões de nossa vida à força superior que rege o universo.

É essa Luz que está no cerne da dieta da Cabala. Nessa direção, é essencial a compreensão de que somos seres integrados. O corpo trabalha duro para manter a vida, são diversos órgãos trabalhando de forma mágica e harmônica, como em uma grande orquestra. Mas ele não trabalha por conta própria, tudo passa pelo comando da mente, que por sua vez segue o comando de algo ainda mais elevado: a alma.

Se não mexermos nessas três variáveis que governam a vida, nenhum resultado permanente pode ser obtido. Essa é a mola propulsora da dieta da Cabala, um trabalho integrado de corpo, mente e alma.

Comecemos pelo corpo.

2

A dieta do corpo

Alimento para o corpo

Você já deve ter ouvido o conhecido ditado que diz: "Você é o que você come!". Como a maioria das expressões que se perpetuam através da voz popular, há grande verdade nisso.

Nada impacta tanto nossa saúde física quanto a alimentação. Trata-se de uma atividade de imensa importância, que influencia diretamente não apenas o corpo físico, mas também o mental e o espiritual.

Hoje já é comprovado o quanto a escolha de uma dieta tem impacto direto em problemas como depressão, mal de Alzheimer, insuficiência cardíaca, diminuição de libido e muitos outros. Os alimentos afetam todas as células e, por conseguinte, a mente, o humor e também a silhueta.

Você já sabe que comer junk food não faz bem. Sente-se no sofá e coma sorvete, pipoca doce, refrigerante, salgadinhos e de imediato você terá uma sensação de alívio, mas o preço virá, pois neste mundo toda causa tem efeito.

Porém, é possível divertir-se no mesmo sofá com alimentos mais verdadeiros, saborosos, que em vez de trazerem efeitos colaterais, trarão mais saúde para seu corpo. Por exemplo, salgadinhos podem ser substituídos por oleaginosas, como amêndoas ou amendoim. Um refrigerante não é mais saboroso do que um copo de mate, chá gelado, suco de uva, ou mesmo água mineral. É só uma questão de mudança de hábito. Uma vez adquirindo, o hábito saudável passa a ser um caminho sem volta, pois a alegria que vem de uma transformação real e positiva é uma referência inesquecível.

Por isso é importante mudar os hábitos. Seguir uma cartilha de alguns dias para emagrecer dez ou vinte quilos não garante saúde nem a obtenção de resultados a longo prazo. Algo permanente só é obtido quando se cria hábitos novos e positivos.

Mas não costuma ser tarefa fácil, daí a importância de termos uma base sólida, fundamentada, que possa nos guiar não apenas durante o período da dieta, mas pelo resto da vida.

Nessa direção, a dieta da Cabala nos traz princípios essenciais para a saúde do corpo. A dieta é composta de 22 lições (em breve você vai descobrir o porquê de 22), mas quando falamos de alimentos para o corpo, são sete os princípios que a fundamentam:

1 *Redução de glúten*

O glúten é uma proteína composta, que se encontra naturalmente em cereais como trigo, cevada, centeio e aveia. Cerca de 4% da população é alérgica e precisa eliminá-lo por completo do cardápio. Para os demais, uma redução em quantidade costuma ser suficiente, trazendo ótimos resultados. Uma dieta de redução de glúten traz incríveis resultados para a saúde e para o emagrecimento.

2 *Redução de sódio*

O sódio é um mineral que se encontra em grande quantidade no sal. Sua ingestão em excesso provoca inchaço no corpo e doenças do fígado e dos rins. Traz ainda risco de hipertensão e pode levar a um descontrole nas concentrações de outros dois minerais importantes: potássio e cálcio. Por isso, é fundamental reduzir sua ingestão, com especial atenção para os refrigerantes e as refeições congeladas.

3 Redução de açúcar

Na dieta da Cabala o açúcar não é inteiramente cortado, mas precisa ser reduzido. Além disso, procuramos substituir o refinado, o mais letal dos doces, por açúcar de melhor qualidade, como o mel e a frutose — encontrado nas frutas.

4 Adição de sementes

Em nossa dieta estimulamos o consumo de sementes de chia — base da alimentação dos guerreiros astecas, conhecidos por sua alta resistência —, assim como de sementes oleaginosas, que por serem ricas em antioxidantes, ajudam a reduzir o risco de doenças cardíacas, diabetes e até algumas formas de câncer.

5 Adição de água

Esse é o mais precioso alimento possível, pois hidrata as células, combate o envelhecimento e, para os que buscam o emagrecimento, é bom lembrar que boa parte de nossa alimentação costuma ser motivada não por uma real necessidade fisiológica, mas pela ansiedade. Nesse caso, a água é um ótimo substituto para a comida. Muitos são os benefícios de uma dieta com maior ingestão de água, entre eles: desintoxicação, hidratação e renovação celular.

6 *Alimentos vivos*

Vivos são os alimentos autênticos, entregues diretamente da mãe natureza para nós. Deliciosas frutas, verduras e legumes precisam ser parte integrante de nossa alimentação diária. Ainda assim, eles trazem muito mais saúde e vitalidade quando combinados de forma correta.

Na dieta da Cabala oferecemos a opção de diversos sucos, preparados a partir dos preciosos alimentos com os quais o criador nos abençoou — espinafre, beterraba, berinjela, uva, maçã, cenoura, morango, goiaba, canela e mel. Eles equilibram o organismo, levantam a energia e ainda ajudam a perder barriga e a prevenir uma série de doenças.

7 *Alimentos pacíficos*

A redução do consumo de carne animal é um passo valiosíssimo, porque hoje já é fato comprovado que nos alimentamos não apenas das proteínas animais, mas também da dor e do medo que os animais deixam na carne, no momento de seu abate.

Na parte 2 ("A dieta da Cabala") aprenderemos uma receita completa para o mais tradicional prato da culinária brasileira. A novidade fica por conta do preparo sem nenhuma carne, o que a torna muito mais saudável, leve de digerir e sem qualquer energia negativa. Uma receita que ensina como prazer e bem-estar podem conviver deliciosamente juntos!

Esses são os princípios básicos de nossa dieta alimentar, dicas simples e preciosas para a manutenção de um corpo saudável. Entretanto, como já mencionado anteriormente, o corpo não anda sozinho. Ele é comandado pela mente.

Por isso, seguimos com a dieta da mente.

3

A dieta da mente

Alimento para a mente

Sigmund Freud, o grande pai da psicanálise, foi um especialista na busca da compreensão do comportamento humano. Após décadas dedicado a essa tarefa, ele declarou: "A felicidade é um fenômeno raro, quase impossível." Repare que isso foi dito por um dos maiores gênios da história, que chegou a tal conclusão após milhares de horas despendidas em terapias de apoio.

Depois dele, as terapias evoluíram muito em conjunto com a neurociência, e hoje há pesquisas que revelam o porquê da dificuldade humana em superar traumas e desfazer hábitos negativos.

Elas descrevem três variáveis: um "gatilho", que desencadeia o hábito; a "ação compulsiva", que é criada em função desse gatilho; e uma "recompensa", que geralmente dura pouco e logo realimenta todo o processo circular que envolve os hábitos negativos e os vícios.

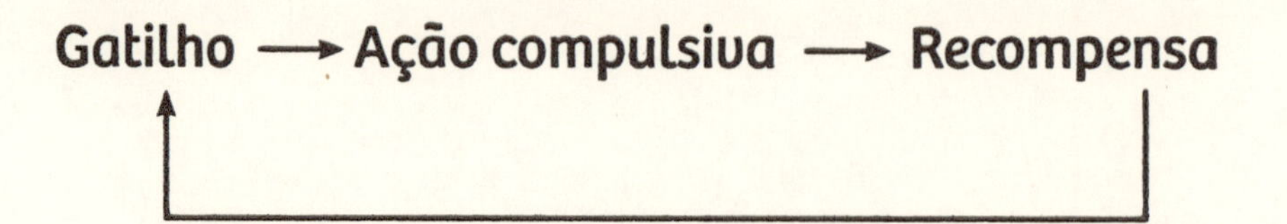

O “gatilho” é acionado de várias formas, mas, em especial, pelo tédio. Pois se você tem uma vida criativa, inspirada, ativa, dificilmente será tomado pela negatividade dos vícios. Acontece que, quase sempre, a rotina diária suga e obriga a lidar com situações desagradáveis, características de um mundo regido pela inconsciência.

A “ação compulsiva” é a expressão do vício: cigarro, comida, álcool, remédios, computador, compras, pensamentos recorrentes, drogas etc. São inúmeras as formas de reação ao tédio e à insatisfação por uma vida em baixa frequência.

A “recompensa” é o prazer transitório que cada um desses hábitos proporciona. Um prazer efêmero, limitado, que logo aciona um novo gatilho que realimenta o ciclo das compulsões.

É imperativo romper com esse processo circular, que drena energia e nos impede de viver com paz e alegria. Mas não se trata de tarefa fácil, pois esses processos repetitivos ficam armazenados em uma área do cérebro denominada gânglio basal. Estão marcados neurologicamente e, por isso, podem ser mais fortes que o “eu” que deseja cura e libertação.

Isso explica a dificuldade em se obter resultado positivo no tratamento contra vícios e compulsões através de terapias que lidam exclusivamente com emoções. Explica também por que dietas alimentares, focadas em um resultado puramente físico, não costumam ser bem-sucedidas a longo prazo; afinal, elas atuam na imagem refletida no espelho e ignoram a sua origem. Em outras palavras, você pode até se livrar de um hábito negativo, mas a probabilidade de adquirir outro é grande.

Um ótimo exemplo é a pessoa obesa que, após uma cirurgia de estômago, perde a fome e substitui a compulsão por comida pela dedicação exagerada à atividade física. Que a troca é saudável, ninguém duvida, mas o que acontecerá se essa mesma pessoa sofrer uma contusão que a impossibilite fisicamente? O que será feito com a energia que precisava, a qualquer custo, ser liberada?

É de extrema importância adquirir consciência sobre esse processo circular. E também mudar o olhar, porque por trás da negatividade dos vícios há um importante pedido da alma.

O verdadeiro ser que nos habita não quer apenas "emagrecer" ou "largar o cigarro", ele deseja libertação verdadeira, transformação e uma nova vida guiada pela Luz.

Libertação guiada pela Luz

Existe um caminho para a libertação do sofrimento que assola a maioria da humanidade. Uma palavra-chave estampa o primeiro e o último passo desse caminho: "Awareness." Essa é uma palavra muito significativa da língua inglesa, em especial pelo seu duplo sentido, também encontrado na língua portuguesa, em que pode ser traduzida como "consciência".

O primeiro sentido revela uma consciência que dá início ao caminho, sem a qual nada mais é possível: a consciência do próprio adormecimento. Perceber que não somos donos de nós mesmos, que os "eus" são múltiplos e se revezam no comando do ser.

Em dado momento, você deseja cuidar mais de seu corpo, se espiritualizar mais, viver em paz, sincronizando a forma pela qual pensa, fala e age. Mas já no momento seguinte surge outro personagem, movido por desejos inexplicáveis, que por vezes não estão de acordo com o que você considera "correto", mas que nem por isso são menos reais.

Diante de tantas e diferentes correntes, o conflito é inevitável. A cada momento um eu diferente aparece: "eu estou determinado a deixar esse vício"; "eu quero emagrecer"; "eu amo essa pessoa". Um é movido pela emoção, outro pelo pensamento, outro pelo corpo. E assim acontece continuamente.

O reconhecimento desses múltiplos personagens e da dificuldade de uma real transformação de nossos hábitos é o primeiro passo no caminho. Sem essa primeira consciência nada mais é possível.

O segundo sentido da palavra "consciência" fala do grande despertar, quando é possível acordar e sentir a brisa da vida que sopra a cada instante. Ao atingi-lo, você não precisa mais contar quantos dias está sem fumar nem trocar uma compulsão por outra, pois a vida passa a ser guiada por uma nova força.

Para sentir essa brisa que dá um novo sentido à experiência da vida, precisamos subir os degraus do caminho da libertação, que é como subir uma escada.

No primeiro degrau, está a consciência de que as coisas não estão assim tão bem e que você não tem real autonomia sobre sua vida. Uma vez compreendido isso, surge outro fator de grande importância: o desejo pela liberdade.

A Cabala ensina que havendo real desejo toda transformação e cura se tornam disponíveis. Por isso, nos degraus intermediários, a necessidade de um trabalho integrado envolvendo corpo, mente e alma.

Quando feito com disciplina, este trabalho nos leva finalmente ao topo da escada, onde está a tão sonhada libertação e seus abençoados resultados.

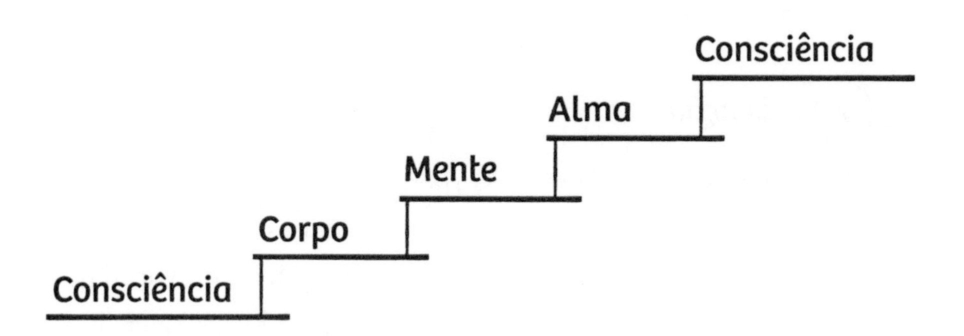

Os princípios milenares da dieta da Mente

O corpo é comandado pela mente. E é nela que focamos agora ao trazer princípios fundamentais, extraídos da sabedoria da Cabala. São conselhos simples, acessíveis a todos e, uma vez colocados em prática, geram extraordinários resultados para o bem-estar:

1 *O compartilhar*

As compulsões, sejam elas alimentares ou não, são movidas por um desejo da mente que, diferentemente do corpo, precisa sempre de mais. É preciso curar este padrão mental e, neste caso, nenhum empreendimento pode ser mais luminoso do que compartilhar. Quanto mais você doa para o mundo, mais o mundo responde favoravelmente para você. Assim, fazemos esta dieta de cura de vícios e maus hábitos não apenas por benefícios pessoais, mas porque quando movidos por boas energias, podemos levar muito mais Luz para o mundo. Ao focar a vida em levar algo para o outro, grandes bênçãos se tornam disponíveis.

2 *A bênção*

Essa prática consta da dieta Kosher, regime de alimentação que preconiza que, seja qual for a refeição, ela deve ser precedida por uma bênção de agradecimento. Ao inserir a bênção, você cria uma nova relação com a alimentação, afastando qualquer tipo de negatividade que envolva o desejo e a ingestão dos alimentos.

3 O poder de dizer "não"

Um homem movido puramente pelo instinto é como um escravo. Como o leão, o tigre, o macaco, assim é o homem bruto, servo de seus desejos. A Cabala explica que o poder é a autonomia sobre os instintos. Ou seja, se você é capaz de "não" fazer algo que tem vontade, mas que lhe faz mal, então você adquiriu autonomia sobre si.

4 O poder de dizer "sim"

Ninguém tem poder para acrescentar ou subtrair felicidade à nós, ao menos que haja esta permissão. É a partir desse entendimento que se torna possível recuperar nossa força interior e dizer um novo "sim" à vida.

5 A meditação

A prática de meditação é essencial para uma vida com menos compulsões e mais paz de espírito. Um exercício que retira o excesso de energia da mente, trazendo lucidez e alívio imediato. Sempre que há um espaço no fluxo de pensamentos, podem acontecer lampejos de paz e alegria. Na verdade, se todos aprendessem a meditar desde criança, nenhuma dieta para correção de hábitos seria necessária.

4

A dieta da alma

Alimento para a alma

Os escritos da Cabala datam de milhares de anos. Hoje, muitos se surpreendem, pois com as novas revelações da ciência muita coisa que parecia fantasiosa está sendo agora comprovada. Podemos citar, por exemplo, a teoria do Big Bang, processos de renovação celular, aeronaves que resistem à força da gravidade, etc.

Acredito que não tardará muito e a ciência também comprovará a existência de algo tantas vezes mencionado nos textos sagrados, onde se encontra a raiz de toda a vida humana: a alma.

Em décadas dedicadas à espiritualidade, encontrei um remédio poderoso para tratar da alma: os salmos.

Compostos de palavras de poder, os salmos trazem imensa força de cura para a nossa vida. Foram escritos por um homem que jamais fugiu da luta e que se tornou um mestre na transformação da sombra em Luz.

Vale a pena conhecer um pouco da história de seu autor, que nasceu há três mil anos, em uma época em que os profetas tinham papel decisivo na condução dos hebreus.

Davi ainda era menino quando uma pressão de ataque dos filisteus, que cercavam Judá, se acentuou e Saul, o rei, caiu enfermo. Como profeta que era, Samuel já havia reconhecido as qualidades, nada aparentes, que fariam do menino o novo rei, e o levou para tocar harpa na casa de Saul.

Enquanto Davi entretinha Saul, este descarregava toda sua raiva no pequeno músico, que por sua vez já tinha uma boa dose de ódio acumulado em função de seus próprios complexos. Afinal, seus irmãos eram grandes guerreiros e, por ter seguido o caminho de um pastor, Davi sentia-se em posição de inferioridade.

Ele precisava superar a ira que lhe dominava, e então começou a colocar letras em suas músicas. As letras eram mágicas, carregavam uma miscelânea de sentimentos, mas ao final de cada canção havia sempre uma solução: um final feliz. O efeito dos salmos entoados foi miraculoso e o rei finalmente se curou. Assim nasceram os salmos.

Davi foi o único a se atrever a duelar com o gigante Golias. Não foi pela força física que ele se saiu vencedor, mas sim devido à sua astúcia e submissão à Luz divina. O segredo dessa força está no livro de salmos por ele recebido.

Há milênios eles são conhecidos por trazer um caminho para a bênção e o milagre. O que poucos sabem é que, para serem realmente eficazes, os salmos precisam ser recitados de forma correta, com um real entendimento do processo.

Os salmos são fórmulas espirituais, concebidas na forma de cânticos, e que possuem um raro poder de acessar as esferas elevadas da existência. Portanto, ao ler um, direcione sua energia para os aspectos que necessitam de atenção.

Preparo

Faça a evocação dos salmos em um lugar adequado, sem interrupções. Seja na sua casa, de frente para o mar ou dentro de uma floresta, o mais importante é que se estabeleça uma real conexão com o sagrado. Para isso, acalme a mente e faça alguns minutos de silêncio, antes de recitá-los.

Recitar em voz alta e com intenção

Para ser ativado, o salmo precisa ser lido em voz alta. É como se estivéssemos, de fato, conversando com o Criador naquele momento. Antes das evocações, é importante que, também em voz alta, você faça a ativação da intenção pela qual aqueles salmos serão lidos. Ao final, procure agradecer a graça concedida, independente de ela já ter sido proporcionada ou não.

Horário

Os melhores horários para a leitura dos salmos são no início da manhã, assim que você acorda, ou no pôr do sol, momento de importante fenda geológica no mundo. Mas não se prenda a isso, pois pode ser que você precise visitar um doente em horário predeterminado. Se for o caso, faça tudo com a mesma fé. Aliás, mais importante que a técnica é a fé com a qual você faz a leitura e a forma pela qual prepara sua mente e seu coração.

Mantra

Poucos em nosso mundo têm acesso a esta informação: os mantras são chaves para o sucesso na obtenção de respostas através dos salmos. Existem mantras de evocação de anjos que potencializam significativamente a força dos salmos. Eles devem ser cantados no mínimo doze vezes. Na dieta da Cabala revelamos esses mantras para todos os salmos utilizados.

Entendimento

Os que já leram um salmo traduzido devem ter notado que além dos textos de rara beleza, são encontradas também palavras duras e agressivas... Não é o que parece. Como todos os escritos antigos, eles são protegidos por códigos, que uma vez acessados possibilitam uma poderosa conexão com bênçãos. Por isso, quando você ler um salmo, não se preocupe em compreender a letra ou o sentido do texto, eles não podem ser lidos como um texto comum.

Durante a Dieta da Cabala, vamos ler um salmo completo por dia, juntamente com as receitas daquele dia para o corpo e a mente. São 22 os salmos-chaves. Mas eles também podem ser utilizados fora do período da dieta, para trabalhar uma necessidade especial (por exemplo: cura, amor, alegria ou prosperidade). Nesse caso, procure recitar o salmo correspondente por sete dias consecutivos, colocando toda a sua fé nisto.

Neste momento, gostaria de lhe presentear com três salmos que, recitados juntos, trazem grande força de equilíbrio. Se puder, leia-os em voz alta, agora mesmo. A leitura diária destes três salmos fortalece importantes virtudes interiores, trazendo também proteção e força.

Salmo 112 – Integridade

Haleluiá! Louvado seja o Eterno! Bem-aventurado é o homem que teme o Eterno e que se dedica a cumprir seus preceitos. Poderosa na terra será sua semente, uma geração de honestos abençoada. Fartura haverá em sua casa, e sua generosidade permanece para sempre. Brilha na escuridão uma luz para os íntegros, pois ele é misericordioso e justo. Bem haverá ao homem que tem compaixão e que auxilia a quem precisa, e que seus negócios conduz com justiça. Nunca será abalado. Será sempre lembrado como justo. Não recuará com o rumor negativo, pois seu coração firmemente confia no Eterno. Ele está seguro e sem temor, e assistirá ao fracasso de seus inimigos. Ele distribui aos necessitados, firme em sua bondade e com glória será exaltado. O transgressor ao ver se revoltará e inutilmente rangerá seus dentes, pois perecerá em sua ambição.

Salmo 121 – Proteção divina

Um cântico para ascensão. Ergo meus olhos para o alto de onde virá meu auxílio. Meu socorro vem do Eterno, o Criador dos céus e da terra. Ele não permitirá que resvale teu pé, pois jamais se omite Aquele que te guarda. Nosso guardião jamais descuida, jamais dorme. Deus é Tua proteção. Como uma sombra, te acompanha a Sua Destra. De dia não te molestará o sol, nem sofrerás de noite sob o brilho da lua. O Eterno te guardará de todo mal; Ele preservará tua alma. Estarás sob Sua proteção ao saíres e ao voltares, desde agora e para todo o sempre.

Salmo 23 – Prosperidade

Um Cântico de David. O senhor é meu pastor, nada me faltará. Em campinas luxuriantes ele me deposita, ao lado de águas tranquilas ele me conduz. Ele restaura a minha alma. Ele me conduz sobre trilhas de justiça, em consideração ao seu nome. Embora eu caminhe no vale das sombras da morte, não temerei nenhum mal, pois Tu estás comigo. Teu bordão e Teu cajado me confortam. Tu preparas uma mesa diante de mim em plena vista dos meus atormentadores. Tu ungiste minha cabeça com óleo; minha taça transborda. Que apenas bondade e benevolência me persigam todos os dias da minha vida. E eu habitarei na Casa do Senhor para todo o sempre.

5

Por que 22?

Os 22 códigos da criação

Assim como o homem tem o seu DNA físico, o universo cósmico também tem o seu DNA. Segundo a Cabala, são códigos revelados a partir das 22 letras que compõem o alfabeto hebraico.

A ideia central explica que tudo que existe pode ser decifrado por números. No caso do alfabeto hebraico, assim como acontece com os algarismos romanos, os números são representados por letras. São 22 letras, que definem os 22 tipos de energia existentes no universo.

אבגדהוזחטיכלמנסעפצקרשת

Há alguns séculos, seria difícil compreender tal ensinamento, mas atualmente, a codificação da formação da matéria em letras é um fato científico. A partir dessa tecnologia são decifrados o DNA de todos os seres vivos.

Tais letras não foram criadas para uma simples comunicação, mas para decifrar os mais profundos segredos da criação. Por isso, desde os tempos mais antigos, o hebraico era a língua utilizada para o contato com a força divina. Moisés, os profetas e Jesus usaram-na em suas orações.

Nisso reside o mais intenso poder da Bíblia. Os cinco livros de Moisés não foram escritos para contar uma história nem ao menos como um código de leis, mas como uma partitura divina, a ser lida pelos olhos da alma.

Como em uma sinfonia, as letras são arrumadas em uma disposição harmônica, recheada de códigos, trazendo um mapa para a libertação. Essas 22 letras trazem temas-chaves, cada um representa um degrau na escada da libertação dos vícios e hábitos negativos.

Como já dito anteriormente, tudo que acontece no mundo físico tem origem no mundo espiritual. O mundo físico funciona apenas como um reflexo, um espelho do mundo espiritual. Você não conseguirá modificar sua imagem modificando o espelho.

Por exemplo, você deseja emagrecer, então procura criar uma nova disciplina para comer menos e de forma mais saudável. Mas o que fazer com o personagem interno que sofre de ansiedade e há anos libera parte dessa energia através da alimentação?

As pessoas, em geral, procuram resolver seus problemas utilizando somente os recursos aparentes do mundo físico. Por isso há tanta dificuldade em todos os cantos do mundo. É preciso mexer na semente formadora de toda a realidade.

As letras hebraicas são poderosas ferramentas nesse sentido. Elas atuam sobre a origem das coisas, como antenas que atraem e liberam formas da mesma energia invisível da criação. Essa energia faz conexão com o divino e traz para o mundo físico as mais poderosas energias espirituais.

É nesse sentido também que está o grande diferencial de nossa dieta. Ela é baseada em uma sabedoria transmitida por mestres em milagres. A cada dia tratamos de uma força específica, com ferramentas para limpar o corpo, a mente e a alma. Um caminho que exige disciplina e dedicação, mas que traz como resultado final bênçãos advindas das esferas mais elevadas da existência, que atingirão todas as áreas de sua vida.

Vamos em frente, porque o melhor momento para começar a transformação de nossa vida é sempre Aqui e Agora!

Parte II

A DIETA DA CABALA

A dieta é composta de 22 lições, e cada uma traz um tema-chave, um degrau na escada da libertação dos vícios e hábitos negativos. *Para ajudar o leitor com a disciplina, virtude tão importante para todos nós, criamos um aplicativo que o ajudará enviando dicas e lembretes para o seu celular.* Para receber diariamente as lições e tê-las sempre consigo, basta acessar o site www.portaldacabala.com.br/adietadacabala e baixar o aplicativo. Se preferir, você pode baixar diretamente nas lojas da Apple ou Android. A diferença é que no site da dieta você interage com outros usuários e é informado de períodos nos quais uma grande quantidade de pessoas faz a dieta em conjunto.

 Receitas para o corpo

A cada dia, é apresentada uma "Receita para o corpo". São sugestões preciosas, que podem fazer grande diferença em sua saúde.

A dieta é dividida em três semanas (mais um dia). Antes de começar cada semana, apresentamos uma lista dos ingredientes que serão necessários para que você possa praticar a dieta integralmente.

Atenção: Se você tem quaisquer problemas de saúde, tais como diabetes, pressão arterial alta, problemas crônicos nos rins ou fígado etc., procure experimentar somente aquilo que lhe for cabível, com orientação de um médico.

 Receitas para a mente

São práticas iluminadas, que vão abrir espaço para que o novo e a criatividade se apresentem em abundância em sua vida. Por exemplo, a receita do primeiro dia pede uma limpeza geral na casa, em especial, nos armários.

Essa tarefa traz satisfação, leveza e tem um efeito muito mais abrangente. Ao nos livrarmos dos excessos de nossa casa, sentimo-nos estimulados a tirar os excessos do corpo e tantos outros que não dão espaço para o novo.

 *Receitas para a alma*

Baal Shem Tov, grande mestre espiritual do século XVII, ensinava: "Ao recitar um salmo, precisamos nos sentir como se fôssemos seu próprio autor. Salmos precisam ser recitados pela alma, sem interferência da mente."

Em suma, eles não funcionam sozinhos. Sua eficácia depende da dedicação e consciência de quem os pratica. Trata-se de uma importante prática espiritual, que atua na semente formadora dos hábitos e no rompimento dos processos repetitivos.

É importante lembrar que um salmo é como uma fórmula espiritual mágica, evite interpretar ou julgar a sua leitura. Por vezes, as palavras são fortes e o conteúdo é agressivo, mas são parte de um processo de limpeza; o inimigo ao qual Davi se refere é aquele que vive dentro de nós.

Prontos para começar

A partir da próxima página começaremos nossa dieta. Se possível, convide um amigo ou parente para participar do processo com você, porque fica muito mais estimulante quando feito em conjunto. Se preferir, entre no site da dieta (www.portaldacabala.com.br/adietadacabala), pois lá há a interação dos muitos praticantes assíduos e isso também ajuda na manutenção da disciplina e do entusiasmo, virtudes essenciais para uma dieta bem-sucedida.

PRIMEIRA SEMANA

DIAS 1 A 7

Ingredientes de alimentação para a 1ª semana

- *Pão de milho*
- *Farinha de tapioca*
- *Lentilha*
- *Sementes de chia/linhaça*
- *Suco de uva*

1º dia – O ESVAZIAR

A primeira letra do alfabeto hebraico, **Alef**, fala do vazio. A vida e a morte, as conquistas e os fracassos, tudo isso é repleto de vazio. Aceitá-lo é o primeiro passo para a cura da mente. Podemos fazer isso aos poucos, respirando mais lenta e profundamente, deixando de dar tanta atenção ao mundo externo e tornando-nos mais silenciosos e presentes. Esse é o mais valioso alimento, pois conecta com a fonte de toda a vida.

Receita para a mente 

Esvaziar os armários

Para iniciar uma dieta integrada de corpo, mente e alma, eis um exercício poderoso: uma limpeza geral na casa, em especial, nos armários. Sendo assim, abra as portas de todos os seus armários e verifique o que não tem mais utilidade para você. O que estiver em bom estado, separe para doar o que estiver em estado precário, jogue no lixo.

Se desejar, você pode estender a prática para os armários virtuais, tais como arquivos do computador, celular etc., que costumam ficar abarrotados de informações obsoletas.

Ministro cursos de Cabala há mais de uma década e frequentemente utilizo esse exercício no início dos cursos. É notável o quanto os alunos ficam mais leves. O que parece ser puramente físico acaba tendo efeito muito mais abrangente, pois junto com a despedida dos objetos, roupas e informações que não servem mais vão as energias antigas e estagnadas. Assim, abre-se espaço para o novo.

Mas atenção: A estagnação pode aparecer através de uma voz interior que dirá que você não tem tempo para fazer o exercício. Não dê ouvidos a ela, se necessário, abra mão de uma ou duas horas de seu sono, mas realize a prática. Ela lhe fará muito bem e será um ponto de partida muito positivo para a nossa dieta. O exercício é poderoso, porque nos move do plano mental para a ação, único local onde ocorre transformação.

Receita para o corpo 

Menos glúten, mais espaço vazio

O glúten funciona como uma cola no intestino, órgão-chave no organismo humano quando falamos de esvaziamento. Muitas doenças advêm da poluição por múltiplas bactérias no intestino, por isso nossa dieta começa com a redução de glúten. Mas, afinal, o que é glúten?

Trata-se de uma proteína composta encontrada em cereais, como trigo, cevada, centeio e aveia. O excesso de consumo de glúten pode provocar ganho de peso, danos na parede do intestino, aumento da gordura abdominal, dores articulares e alergias.

Eliminá-lo da dieta não é tarefa simples, pois ele está presente na maioria dos pães, bolos, biscoitos, massas e na cerveja. Como opção, podemos consumir versões desses alimentos feitos à base de mandioca, milho e arroz, tais como: pães de milho, macarrão de arroz, tapioca, além de uma imensa lista de legumes, verduras, arroz e alimentos essencialmente proteicos, como ovos e laticínios.

Nossa dieta não visa ao radicalismo, mas sim à criação de uma nova consciência libertadora. Por isso, reduzimos o consumo do glúten aos poucos, na medida do possível, já que um intestino sem glúten produz mais serotonina, o neurotransmissor da alegria. Esse, sim, um ingrediente indispensável para a vida.

Dica do cabalista:

Pastel de tapioca com queijo

Aqueça uma frigideira em fogo mínimo. Vá peneirando a farinha de tapioca (use uma peneira grande) até criar uma camada espessa e uniforme que cubra toda a superfície da frigideira. Aumente o fogo e adicione duas fatias de queijo prato. Quando a farinha começar a endurecer (vai descolar um pouco da frigideira), feche-a como um pastel. Deixe tostar um pouco de um lado, vire e toste do outro e pronto: você tem um delicioso lanche, nutritivo, saudável e sem glúten.

Receita para a alma 

Salmo 90 – Esvaziar a mente

Davi escreveu este salmo por medo dos filhos do rei Saul, que o ameaçavam. Ele não se deixou dominar pelos pensamentos obsessivos e partiu em busca da realização de sua missão.

Para ler

Oração de Moisés, homem de Deus. Ó Eterno, tu és o nosso refúgio, de geração em geração. Antes de nascerem os montes e de criares a terra e o universo, de eternidade a eternidade tu és Deus. Fazes os homens voltarem ao pó, dizendo: "Retornem ao pó!". De fato, mil anos para ti são como o dia de ontem que já passou, como as horas da noite. Como uma correnteza, tu arrastas os homens e conduze-os ao sono; são como a relva que brota ao amanhecer; germina e brota pela manhã, mas, à tarde, murcha e seca. Somos consumidos pela tua ira e aterrorizados pelo teu furor. Conheces as nossas iniquidades, nossos pecados secretos são expostos à luz da tua presença. Escoam-se nossos dias sob a sua reprovação; vão-se como um murmúrio. Os anos de nossa vida chegam a setenta, ou a oitenta para os que têm mais vigor; entretanto, são anos difíceis e cheios de aflições, pois a vida passa depressa, e nós voamos! O que seria orgulho e sucesso, não passa de fadiga e enfado, pois rapidamente se esvai e termina. Quem compreende o poder da tua ira? Pois o teu furor é tão grande como o temor que te é devido. Ensina-nos a contar os nossos dias a alcançar a sabedoria do coração. Volta-te para nós, Oh Eterno! Até quando teremos que esperar? Tem compaixão dos teus servos! Alimenta-nos pela manhã com o teu amor leal, e todos os nossos dias cantaremos felizes. Dá-nos alegria na proporção do tempo que nos afligiste, pelos anos em que tivemos adversidades. Revela os teus feitos aos teus servos, e cobre os seus filhos com o teu esplendor! Esteja sobre nós a sua graça. Faze prosperar a obra de nossas mãos; sim, consolida a obra de nossas mãos.

Mantra: HAHA

2º dia – A BÊNÇÃO

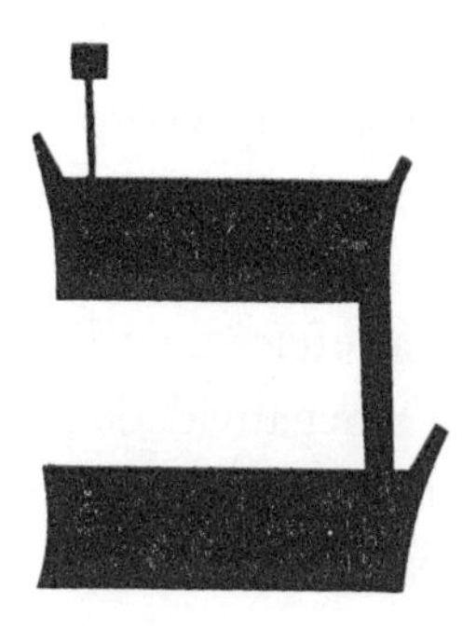

A palavra para "bênção" em hebraico é "brachá" e começa com a segunda letra do alfabeto hebraico: **Beit**. Ela nos ensina que todo o processo criativo deve se iniciar com uma bênção de agradecimento, pois assim como temos um desejo maior de presentear aqueles que são polidos e gratos a nós, o Criador também transborda de bênçãos a todos que se aproximam Dele dessa forma.

Receita para a mente 

Bênção para os alimentos

Comer deveria ser motivo de agradecimento para todos nós. No entanto, para muitos não funciona assim e a alimentação acaba sendo foco de um padrão viciado, que drena a energia corporal, a saúde e a autoestima.

Os antigos mestres ensinavam que a solução está na bênção. Ela traz cura para as compulsões, sejam elas físicas, emocionais ou mentais, pois quando você abençoa a refeição, entra em contato com uma nova qualidade de energia, onde a negatividade não penetra.

Neste segundo dia, as receitas da mente e do corpo se fundem, trazendo maior integração entre os processos físicos e mentais de nosso organismo. Assim, antes de cada refeição, fazemos uma oração de agradecimento pelo alimento que chega. Trata-se de um momento sagrado, de celebração da vida.

Quando recebemos amorosamente uma visita em nossa casa, ela se sente integrada e retribui todo o carinho recebido. Da mesma forma, ao abençoar e agradecer o que ingerimos, entramos em estado de paz com o alimento que chega para nutrir nossas células.

Para lembrar:

A 1ª receita da mente pede para esvaziarmos os armários. Essa tarefa, além de muito gratificante, é um potente antidepressivo.

Receita para o corpo 

Berinjela abençoada

A berinjela é um legume poderoso e um alimento abençoado. Fonte de inúmeros nutrientes fundamentais para o equilíbrio do organismo, ela é rica em vitaminas do complexo B e C, e uma grande aliada para a imunidade e para o equilíbrio do sistema nervoso; por conseguinte, contribui para o bem-estar físico e emocional.

Sua casca possui diversos nutrientes importantes, entre eles, a antocianina, que é associada ao combate da formação de células cancerígenas e à diminuição dos níveis de colesterol no sangue. Isso acontece porque ela é rica em fibras, que durante a digestão se ligam ao colesterol, impedindo sua absorção pela corrente sanguínea e liberando-o através do intestino.

É um alimento altamente indicado no controle glicêmico. Suas fibras retardam o processo digestivo e tornam mais lenta a absorção da glicose pelo organismo. E ainda colabora para o bom funcionamento do intestino e no combate a cálculos renais.

Por ser muito pouco calórica (cerca de 10 calorias a cada 50g consumidas), a berinjela é também uma excelente alternativa para os regimes de emagrecimento. Nesse caso, o ideal é evitar misturá-la com alimentos gordurosos e não fritá-la. Pode ser consumida na forma de sucos, uma das opções mais saudáveis, como farinha ou "água de berinjela", trazendo inúmeras opções ao cardápio.

Dica do cabalista:

Suco de berinjela com laranja

Bata no liquidificador 100 g de berinjela picada com o caldo de duas laranjas do tipo seleta. Para regimes de emagrecimento, procure tomar o suco fora das refeições.

Receita para a alma 

Salmo 50 - Para abençoar a vida

Este salmo evidencia o quanto Deus não necessita de nossas ofertas. Somos nós que precisamos da conexão com a força superior.

Para ler

Um salmo, por Assaf. "Ó Todo-Poderoso, nosso Deus falou e convocou toda a terra, do levante ao poente. De Tsion, a beleza perfeita, ele apareceu. Que venha o nosso Deus e não se cale; um fogo devorador o precede, ao seu redor esbraveja a tempestade. Ele convoca os céus acima e a terra para julgar o seu povo. Juntem-se a Mim, meus devotos, que fizeram uma aliança comigo através de sacrifícios. Então os céus proclamaram sua retidão, pois o Eterno é o juiz. Escuta bem meu povo e eu falarei, ó Israel, e Eu prestarei testemunho. Eu sou o Eterno, teu Deus, não te reprovarei pela falta de teus sacrifícios, pois tuas oferendas trazes a cada dia. Não requisito novilhos de teus cerrados nem cabritos de teus rebanhos. Pois meu é todo animal da floresta, o gado que vagueia sobre os montes. Conheço cada ave das montanhas, e cada criatura que rasteja pelos campos. Se eu tivesse fome, não te contaria, pois a mim pertence o universo e tudo que há nele. Necessito comer a carne dos novilhos ou o sangue dos cabritos? Oferece antes um sacrifício de agradecimento e cumpre teus votos para com o altíssimo. Clama por mim no dia da aflição, eu te libertarei e tu me honrarás. Mas, para os ímpios, diz o Eterno: 'Para que recitas minhas leis e tens em teus lábios as palavras da minha aliança?' Tu que abominas qualquer disciplina e renegas minhas palavras. Ao encontrar um ladrão, a ele te associas e por companhia busca os adúlteros. Tua boca dedicaste ao mal e tua língua à falsidade. Assim que tu sentas, contra teu irmão tu falas, contra o filho de tua mãe espalhas desonra. Assim agiste e poderei eu ficar calado? Pensaste que Eu fosse como tu? Mas sabes que não. Censurar-te-ei e abertamente te julgarei. Compreende bem que tu esqueceste do Eterno para que eu não te destrua sem que possas te salvar. Aquele que traz oferendas de agradecimento honra a mim; e aquele que procura sempre melhorar o seu caminho, a este mostrarei a redenção divina."

Mantra: VESHAR

3º dia – A PROSPERIDADE

A letra **Guímel** traz a palavra-chave para a prosperidade: o compartilhar, lembrando que todos os dias podemos fazer alguma coisa em benefício dos outros. Nossos mestres ensinam que, quando deixarmos este mundo, nossas riquezas materiais ficarão para trás, mas nossas boas ações nos acompanharão.

Receita para a mente 

Tsedaká

Todos os caminhos espirituais falam sobre uma lei universal e infalível: Dê ao mundo o que você tem de melhor e ele te retribuirá na mesma proporção.

Sabendo disso, comprometa-se, a partir de hoje, a colocar diariamente trocados, ou mais que isso, em um cofre (improvise um, se necessário). Ao final da dieta da Cabala, pegue o conteúdo desse cofrinho e doe a uma pessoa necessitada, ou a uma entidade filantrópica. A Cabala chama essa prática de Tsedaká, uma maneira de compartilhar e de ajudar os necessitados.

Ainda assim, cabe lembrar que existem inúmeras outras formas de compartilhar, como carinho, atenção, afeto e boas palavras. O mestre Paramahansa Yogananda dizia: "O altruísmo é o princípio que governa a prosperidade e a abundância divina é como uma chuva refrescante. Você a recebe de acordo com o receptáculo que tem em suas mãos. Se tiver uma pequena xícara, receberá pouco. Se tiver uma tigela maior, receberá muito mais!"

Para Lembrar:

A 2ª receita da mente pede para abençoarmos tudo aquilo que ingerimos. Isso muda por completo nossa relação com os vícios: o começo de um grande processo de cura.

Receita para o corpo 

Lentilhas prósperas

A lentilha é um poderoso símbolo bíblico, associada à prosperidade por fazer parte de uma troca de primogenitura entre Esaú e Jacob, filhos de Isaac. Ela é ainda uma grande aliada nas dietas de emagrecimento, por se tratar de um grão pouco calórico, rico em proteína e sem gordura.

A lentilha proporciona saciedade, auxilia na formação de massa muscular, e, aliada a exercícios físicos, ajuda na perda de peso. Contém ainda fibras, ferro, que combate a anemia, e vitamina B9, indicada para a fertilidade.

Durante nossa dieta, procure inserir lentilha em sua alimentação, sempre que possível. Existem opções saborosas de consumir o grão: como sopa de lentilhas, no feijão ou com arroz e cebolas.

Dica do cabalista:

Arroz com lentilhas e cebolas douradas

Para preparar este prato, bem conhecido no Oriente, comece deixando a lentilha de molho por no mínimo 5 horas. Depois, refogue a cebola no azeite e junte as lentilhas, mexendo por alguns minutos em fogo brando. Coloque água fervendo até a altura do dobro da quantidade de lentilha na panela e deixe ferver até que ela fique cozida.

Misture uma porção de lentilha pronta a duas porções de arroz já preparado e temperado (o melhor é o integral). Frite em azeite a cebola cortada em rodelas, até ficarem douradas. Por último, coloque as cebolas sobre a mistura de arroz e lentilhas e você terá um prato delicioso e muito saudável. Convide uma pessoa que você ama para desfrutar da refeição e, aí sim, as lentilhas se tornarão um prato da prosperidade, porque esta é uma lei universal: Quanto mais você doa, mais você recebe.

Para lembrar:

Essa é uma dieta acumulativa. Portanto, procure reduzir o glúten e lembre que a berinjela é repleta de propriedades curativas.

Receita para a alma 

Salmo 23 – Prosperidade

Durante seu exílio na floresta de Reret, David passou por momentos de grande dificuldade, chegando à beira da morte. Foi quando recebeu um milagre divino, encontrou novos companheiros e voltou a se fortalecer, no caminho que o levaria ao reinado. Compôs então o Salmo 23, para revelar sua crença na força que conduzia.

Para ler

Um Cântico de David. O senhor é meu pastor, nada me faltará. Em campinas luxuriantes ele me deposita, ao lado de águas tranquilas Ele me conduz. Ele restaura a minha alma. Ele me conduz sobre trilhas de justiça, em consideração a seu nome.
Embora eu caminhe no vale das sombras da morte, não temerei nenhum mal, pois Tu estás comigo. Teu bordão e Teu cajado me confortam.
Tu preparas uma mesa diante de mim em plena vista dos meus atormentadores. Tu ungiste minha cabeça com óleo; minha taça transborda.
Que apenas bondade e benevolência me persigam todos os dias da minha vida. E eu habitarei na Casa do senhor para todo o sempre.

Mantra: SEAL

4º dia – AS PORTAS

A letra **Dalet** ressalta a importância das portas, as físicas e as não físicas, e mostra que não há forma melhor de protegê-las do que através da busca do ser íntegro. Esse é o tema do Salmo 112, a receita espiritual dessa letra é: Quem segue o caminho dos justos abre a porta para as mais positivas energias!

Receita para a mente 

O não que garante o sim

Hoje é dia de fechar as portas para os vícios. Assim, durante todo o dia, diga "Não" a algo que você sabe que lhe faz mal.

Se o seu hábito negativo é comer em excesso, coma o mínimo necessário para sua sobrevivência. Se for o cigarro, passe o dia todo sem fumar um único cigarro (mesmo que seja difícil para você, procure se empenhar no exercício, pois se trata de um comando muito importante da mente, um real esforço na direção de largar os hábitos negativos).

Este é um exercício poderoso, porque mesmo que você retome seu hábito amanhã, terá dado um comando valioso para a sua mente, expressando o desejo de retomar as rédeas de sua vida.

Para Lembrar:

O cofre de Tsedaká não é prática para apenas um dia, mas para toda a nossa dieta. Diariamente colocamos trocados em um cofre que ao final da dieta será doado para alguém necessitado. Compartilhar é sempre a grande chave.

Receita para o corpo 

"Não" a um grande vilão

O sódio encontra-se em grande quantidade no sal e em pequenas quantidades em muitos outros alimentos. Sua ingestão em excesso provoca inchaço no corpo e doenças do fígado e dos rins. Traz ainda risco de hipertensão e pode levar a um descontrole nas concentrações de outros dois minerais importantes: potássio e cálcio.

Por isso, a partir de hoje reduziremos a ingestão de sódio, diminuindo o sal nas refeições e tendo atenção especial em duas classes de alimentos:

- Os refrigerantes, pois são muito calóricos, possuem quase nenhum nutriente e contêm elevado nível de sódio. As versões zero e light podem não engordar, mas contêm ainda mais sódio, e provocam elevação indesejada do PH do estômago. Se para você parece impossível deixar o "prazer" de se servir de um refrigerante durante as refeições, procure ao menos reduzir em quantidade o consumo e estará dando um presente a seu sistema metabólico. Existem alternativas com propriedades físicas e energéticas mais elevadas, como água mineral, chá-mate e sucos naturais.
- Refeições congeladas também estão na lista dos vilões alimentares, porque costumam conter muito sal, que é usado como conservante, aumentando em níveis perigosos a concentração de sódio no organismo.

Para Lembrar:

Redução de glúten, inserção da berinjela e do arroz integral com lentilhas no cardápio são dicas de alimentos que podem trazer saúde física e bem-estar emocional.

Receita para a alma 

Salmo 112 – Integridade

No Salmo 112, Davi fala sobre o valor do cultivo do bom caráter, mostrando que aquele que procura sempre fazer bem ao próximo terá a força do divino a seu lado.

"Bem haverá ao homem que tem compaixão e que auxilia a quem precisa, e que seus negócios conduz com justiça."

As palavras compaixão e justiça são enfatizadas nesse trecho do salmo. Para muitos, elas podem parecer substantivos antagônicos, mas não são. A compaixão surge quando tiramos o foco do "eu" e passamos a nos interessar mais pelo próximo e, inspirados pela justiça dos justos, levamos luz ao mundo.

Devemos recitar esse salmo entregando o destino nas mãos do criador, com a certeza de que quem planta o bem, colhe o bem.

Para ler

Haleluiá! Louvado seja o Eterno! Bem-aventurado é o homem que teme o Eterno e que se dedica a cumprir seus preceitos. Poderosa na terra será sua semente, uma geração de honestos abençoada. Fartura haverá em sua casa, e sua generosidade permanece para sempre. Brilha na escuridão uma luz para os íntegros, pois Ele é misericordioso e justo. Bem haverá ao homem que tem compaixão e que auxilia a quem precisa, e que seus negócios conduz com justiça. Nunca será abalado. Será sempre lembrado como justo. Não recuará com o rumor negativo, pois seu coração firmemente confia no Eterno. Ele está seguro e sem temor, e assistirá o fracasso de seus inimigos. Ele distribui aos necessitados, firme em sua bondade e com glória será exaltado. O transgressor ao ver se revoltará e inutilmente rangerá seus dentes, pois perecerá em sua ambição.

Mantra: PERRIL

5º dia – AS SEMENTES

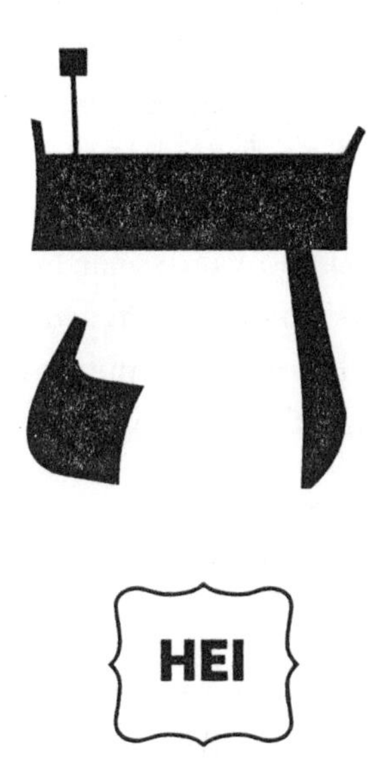

A Cabala ensina que são vários os planos que formam a nossa realidade. O plano físico, que enxergamos com os olhos, é resultado final do que acontece nos planos superiores. A real transformação só acontece quando atingimos a semente das compulsões, dos vícios e de todas as demais inconsciências que nos impedem de viver em estado de paz e alegria.

Receita para a mente 

Sementes de agradecimento

Procure inserir em sua rotina diária a "oração de agradecimento" reproduzida abaixo, de preferência ao acordar, pois esse é o momento semente do dia. Mas estenda a prática de bênção: além de agradecer pelo alimento, agradeça ao longo do dia, ao acordar, antes de dormir e em pequenas pausas durante o horário de trabalho.

Lembre-se que seu ego não vai desejar fazer isso, ele está cheio de demandas, quer pedir mais ou deseja um acerto de contas. Não dê ouvidos a esse "eu" isolado da fonte. Há muitos motivos pelos quais deve agradecer. Quem planta agradecimento, colhe bênçãos.

Oração de agradecimento

> Agradeço por este novo dia, pelos pequenos e grandes dons que colocaste em nosso caminho a cada instante desta jornada. Agradeço pela luz, pelo alimento, pela água, pelo trabalho, por este teto, pela beleza de tuas criaturas, pelo milagre da vida, pela inocência das crianças, pelo gesto amigo, pelo amor que nos sustenta e protege.
>
> Agradeço pela surpresa de tua presença em cada ser, pelo teu perdão que nos faz crescer e pela alegria de ser útil, servindo à humanidade e aos que nos cercam. Que no dia de hoje possamos nos tornar melhores. Abençoa, senhor, o nosso dia, os nossos corpos, os nossos familiares e amigos.

Para Lembrar:

O "Não" dado ontem pode e deve ser estendido por mais dias. É importante mantermos em mente que as pessoas que se livram de seus vícios abrem espaço para uma grande transformação na vida. Podemos nos dar esse grande presente!

Receita para o corpo 

Sementes de chia

Hoje procuramos inserir em nossa dieta um ingrediente saudável e energético: a chia. Planta comumente encontrada na Guatemala, México e Colômbia, sua semente possui propriedades especiais e era muito consumida por civilizações antigas. Os guerreiros astecas, conhecidos por sua alta resistência, tinham na chia um componente vital de sua dieta.

Devido à alta concentração de fibras, ela é indicada para quem busca emagrecer, pois intensifica a sensação de saciedade. Porém, devido ao seu alto teor calórico (uma colher de sopa possui cerca de 100 calorias), não deve ser consumida em excesso.

A semente de chia é rica em:

- Ômega 3: teor bem maior do que o encontrado na linhaça e no salmão.
- Minerais: alta concentração de cálcio, magnésio, manganês e fósforo.
- Proteínas: contém todos os aminoácidos essenciais de que precisamos.
- Fibras: alta concentração faz dela uma aliada no emagrecimento.
- Antioxidantes: ricos em flavonoides, são também rejuvenecedores.

Por todas essas razões, a chia é incluída com louvor na dieta da Cabala. A sugestão de consumo é de uma a duas colheres de sopa de sementes de chia por dia, misturadas em sucos, iogurte ou cereais. Mas se você tiver dificuldades em encontrar essa semente, substitua por sementes de linhaça, que possui efeitos terapêuticos similares.

Enquanto estiver colocando as sementinhas sobre as frutas e/ou iogurte, sinta-se como um agricultor que planta sementes de saúde, amor, paz — somente coisas boas —, e logo você estará colhendo os frutos dessa plantação!

Para Lembrar:

O sódio, presente nos refrigerantes e refeições congeladas, é nocivo à saúde e provoca inchaço no corpo. É imperativo diminuir o consumo de sódio.

Receita para a alma 

Salmo 32 – Para curar a semente

No Salmo 32, Davi destaca a felicidade que abençoa os que seguem um caminho de autoaperfeiçoamento, o "eu superior". O salmo enfatiza a importância de plantarmos sementes de amor.

Para ler

De David, um Maskil. Bem-aventurado aquele cuja transgressão é perdoada, e cujo pecado é coberto. Bem-aventurado o homem a quem o Eterno não imputa maldade, e em cujo espírito não há falsidade.
Quando silenciei, envelheceram os meus ossos e meus gemidos ecoavam. Porque de dia e de noite a tua mão pesava sobre mim; a minha força se esvanecia. Selá. Confessei-te o meu pecado, e a minha maldade não encobri. Dizia eu: Confessarei ao Eterno as minhas transgressões; e tu as perdoaste. Selá.
Por isso, todo devoto orará a ti, a tempo de poder te encontrar; para que as águas revoltas não o alcancem. Tu és meu abrigo; me preservas da angústia; me envolves com alegres cânticos de salvação. Selá.
Instruir-te-ei, e ensinar-te-ei no caminho que deves seguir; guiar-te-ei com os meus olhos. Não sejas como o cavalo nem como a mula, que não têm entendimento, cuja boca precisa de cabresto e freio e que não se aproximam de ti.
Os sofrimentos do ímpio são muitos, mas aquele que confia no Eterno, a misericórdia o envolve.
Alegrem-se em Deus e regozijai-vos, ó justos; e cantai alegremente, todos vós que sois retos de coração.

Mantra: MIAC

6º dia – A SUPERAÇÃO

VAV

A letra **Vav** fala da capacidade de nos mantermos de pé, mesmo nos momentos mais difíceis. A alquimia é compreender que as provações são também oportunidades para o despertar da consciência e a revelação de nossa Luz interior.

Receita para a mente 

Orar de pé

Muitos reagem às dificuldades da vida dizendo: "Mas por que isso tinha que acontecer logo comigo?" ou "O que eu fiz para merecer algo assim?". Mas as provações são também oportunidades, e fugir dos obstáculos não é a solução, porque você só se fortalece quando luta com um adversário forte. Quem não tem dificuldades não cresce. Cada prova funciona como uma etapa cumprida em direção ao despertar da consciência.

A partir de hoje, experimente orar de pé, se possível logo ao acordar. Esse é um estado antidepressivo, que resgata nossa força interior. Você pode utilizar as orações de seu caminho espiritual (se tiver um) ou intuir suas próprias. O mais importante é que você se concentre em levar Luz a todas as almas do mundo, reservando um tempo para falar com o Criador e pedindo força para deixar os hábitos negativos.

Ao deixar tais hábitos, você receberá uma incrível força extra para trabalhar pelo seu bem pessoal e pelo bem do mundo.

Para Lembrar:

Quanto mais agradecemos, mais somos abençoados e mais motivos temos para agradecer novamente. É um ciclo contínuo e muito positivo, que vale a pena cultivar.

Receita para o corpo 

Um suco que levanta

Hoje introduziremos em nossa dieta um elixir com diversas propriedades benéficas para o organismo, que equilibra e levanta a energia: o suco de uva.

Segundo pesquisa realizada em 2014 pelo Instituto Universitário Metodista, no sul do Brasil, o suco ainda ajuda a perder barriga e a prevenir uma série de doenças. A pesquisa foi feita durante 5 anos, com dois grupos de ratos: um consumiu uma dieta rica em gorduras com suco de uva à vontade e o outro grupo manteve uma alimentação normal e tomou apenas água. O resultado foi incisivo: o suco de uva ajudou a reduzir o peso e a gordura abdominal..

Outros estudos feitos nos Estados Unidos comprovaram que o suco de uva protege o coração, melhora a memória, combate os radicais livres e ajuda a prevenir o envelhecimento precoce.

O recomendado é incluir o suco de uva diariamente na dieta. Para uma pessoa adulta, o ideal são dois copos de suco. Mas para ter esses benefícios, o suco precisa ser integral, ou seja, sem água e sem açúcar, porque caso contrário os benefícios são perdidos.

Para Lembrar:

As sementes de chia eram consumidas por guerreiros conhecidos por sua alta resistência. Se você tiver dificuldades para encontrá-la, substitua por sementes de linhaça, que possui efeitos terapêuticos similares.

Receita para a alma 

Salmo 04 – Força de superação

Imagine que grande problema tinha Davi ao ter que enfrentar seu primeiro grande adversário, um gigante de dois metros de altura, muito mais forte do que ele. Parecia um obstáculo insuperável, no entanto, ele aprendeu a se conectar com a força do divino. E venceu.

A conexão com o Salmo 04 nos traz a mesma força que Davi utilizou para vencer seus maiores desafios. Quando nos conectamos a ela, todo tipo de cura e bênção se torna possível.

Para ler

Ao condutor com melodias, um cântico de David. Quando Te invocar, responde-me, oh Elohim da minha retidão; em minha tribulação Tu me aliviaste, sede gracioso para comigo e dá ouvidos à minha oração. Filhos dos homens, até quando minha honra será desgraçada? Até quando amareis a futilidade? Até quando buscareis mentiras? Vós sabereis que o Eterno separou o homem devoto para si;
O Eterno ouvirá quando eu o invocar. Tremei e não pecai; dizei em vosso coração na vossa cama e calai-vos eternamente. Oferecei sacrifícios de retidão e confiança em Deus. Muitos dizem: "Quem nos mostrará bondade?" Erguei sobre nós a luz do Teu semblante, Adonai. Tu concedeste júbilo ao meu coração como nos tempos de abundância de vinho e trigo. Em paz poderei deitar e dormir, pois Tu, Eterno, me manterás em segurança.

Mantra: VERRU

7º dia – O DISCERNIMENTO

A letra **Zain** tem o formato de uma espada, que tem por objetivo cortar as energias negativas, ou seja, separar o que leva à Luz e o que puxa para a sombra. Podemos fortalecer nossa espada interior com o discernimento que realmente importa nesta vida!

Receita para a mente 

1ª revisão

Na Cabala, o sétimo dia aparece como um presente do tempo, um dia inteiro para sorrir, festejar, amar, meditar, estar com os seres amados, enfim, um dia para recarregar a alma. A prática é transformadora, tanto que os mais distintos caminhos espirituais o adotaram. O objetivo? Fortalecer nossa espada interior, através da lembrança de que precisamos parar e discernir sobre o que realmente importa nesta vida!

Assim, fazemos uma revisão das 6 primeiras práticas apresentadas até o momento, nos empenhando, se possível, em todas elas. Hoje podemos arrumar aquela gaveta que não ficou 100% organizada, fazer uma bênção de agradecimento pelo alimento, lembrar de nosso cofre de Tsedaká (filantropia), que irá ajudar alguém necessitado, dizer NÃO aos hábitos que não fazem bem, agradecer pelo simples fato de estarmos respirando e também fazer uma oração de pé.

Trata-se de uma oportunidade de refazer o que não foi feito da melhor forma. Lembrando:

1ª - Esvaziar os armários ✓
2ª - Bênção para os alimentos ✓
3ª - Tsedaká (um cofre com doação diária para os necessitados) ✓
4ª - O Não que garante o Sim ✓
5ª - Sementes de agradecimento ✓
6ª - Orar de pé ✓

Receita para o corpo 

1ª revisão

Na sétima receita para o corpo também fazemos uma breve revisão das seis primeiras. Sabendo que nem sempre é fácil conciliar a dieta do corpo com nosso cotidiano, aqui está mais uma boa oportunidade de trazer um alimento vital para as nossas células.

1º - Menos glúten, mais vida: A diminuição do consumo de glúten é um grande passo para o fortalecimento da saúde do organismo. Vale a pena um esforço nessa direção, pois um intestino sem glúten produz mais serotonina, o neurotransmissor da alegria.

2º - Berinjela: Um legume poderoso e um alimento abençoado. Fonte de inúmeros ingredientes fundamentais para o equilíbrio do organismo, ela é rica em vitaminas do complexo B e C, sendo uma grande aliada para a imunidade e para o equilíbrio do sistema nervoso; por conseguinte, contribui para o bem-estar físico e emocional.

3º - Lentilhas prósperas: A lentilha é um grão pouco calórico, rico em proteína e sem gordura; é aliada nas dietas de emagrecimento e nas de formação de massa muscular. Trata-se de um delicioso prato da prosperidade.

4º - "Não" ao vilão da alimentação: o sódio, presente nos refrigerantes e refeições congeladas, é nocivo à saúde e provoca inchaço do corpo.

5º - Sementes de chia: A sugestão de consumo é de uma a duas colheres de sopa de sementes de chia por dia, misturadas em sucos, iogurte ou cereais. Se você tiver dificuldades em encontrar essa semente, substitua por sementes de linhaça.

6º - Um suco que levanta: Suco de uva protege o coração, melhora a memória, combate os radicais livres e ajuda a prevenir o envelhecimento precoce. O recomendado é incluí-lo diariamente na dieta

Receita para a alma 

Salmo 92 – Para louvar o tempo e a vida

Fazemos conexão com o Salmo 92 para remover as cascas e lembrar que nada nos é tão precioso quanto o tempo. É ele o senhor da vida, dos encontros amorosos, do estado de plenitude. Este salmo é recitado todas as sextas-feiras à noite pelos cabalistas, quando da consagração do ritual do sétimo dia.

Para ler

É bom celebrar Adonai, cantar teu nome, supremo. Relatar pela manhã sua bondade, e à noite sua fidelidade. Ao alaúde, à harpa e ao murmúrio da lira junto às minhas palavras. Sim, tu me regozijas, Adonai, por tua obra; jubilo ao feito de tuas mãos. Como são grandes teus feitos Adonai, profundos teus pensamentos! O homem estúpido não o penetra, o tolo não percebe isso. Todos os obreiros da fraude crescem como erva, para serem exterminados para sempre. Tu, altaneiro, em perenidade, Adonai! Sim Adonai, teus inimigos perderão; todos os obreiros da fraude se dispersarão. Exaltas minha força como a de um antílope, estou repleto de óleo luxuriante, meu olho observa os que me fixam; meu ouvido ouve os que se erguem contra mim, os malfeitores. O justo crescerá como uma palmeira; como o cedro do Líbano. Plantados na casa de Adonai, eles florescerão. Nos átrios de nosso Elohim, eles prosperam na senescência, repletos de seiva, produzirão frutos para relatar o quão reto és, Adonai. Minha rocha, com pureza e justiça! Amém.

Mantra: AIÁ

SEGUNDA SEMANA

DIAS 8 A 14

Ingredientes de alimentação para a 2ª semana:

- *Cebola, espinafre, bertalha, alho, hortelã e salsa (sopa detox)*
- *Maçã, couve, alface, cenoura, espinafre (suco de luz)*
- *Inhame*
- *Azeite extravirgem*

8º dia – O AMOR

Essa letra do alfabeto hebraico fala sobre o amor: uma experiência única, abençoada, que reconforta corpo, mente e alma, mas que, diferente do que muitos imaginam, não depende de nenhum agente externo. É uma possibilidade interior, que, como um canal de rádio, precisa apenas ser sintonizada.

Receita para a mente 

Terapia do abraço

A palavra amor em hebraico é "Ahavá" e está ligada ao gesto da doação, levar algo ao outro. Precisa ser incondicional, caso contrário, não é amor.

No caso de um relacionamento afetivo, é preciso vibrar nessa sintonia. Não é possível controlar o outro nem estabelecer expectativas sobre o outro, só o que podemos é cuidar do amor que emana de nós. O melhor a fazer para isso é sintonizar o canal, compartilhando e vibrando amor!

A partir de agora, procure abraçar mais as pessoas. Familiares, amigos, enfim, dedique-se a preencher o mundo com seu afeto. Para alguns, o contato corporal é muito difícil, mas insista nisso, pois não há palavra que substitua a energia amorosa que um abraço proporciona.

Para lembrar:

A prática do Tsedaká é também uma prática muito amorosa, pois nos tira do "eu" e nos leva a olhar o próximo com mais compaixão. Um exercício diário repleto de Luz.

Receita para o corpo 

Mastigação amorosa

A maioria das pessoas mastiga muito pouco e engole pedaços inteiros de comida, o que prejudica a formação do bolo alimentar. Se você tem hábito de mastigar rápido, seus dentes não trituram bem os alimentos, sua saliva não age de forma adequada e a digestão dos carboidratos fica prejudicada. O estômago, sobrecarregado, precisa aumentar seu trabalho para realizar o processo de digestão, podendo ocasionar desconforto abdominal, gases ou gastrite.

Por isso, agora colocamos o foco na mastigação, uma atividade saudável, que ajuda a eliminar as compulsões alimentares. Ela é muito mais eficaz do que a pura privação de alimentos, pois uma correta mastigação libera substâncias que vão até o cérebro informar que o organismo está recebendo nutrientes. A sensação de saciedade interrompe a necessidade "cerebral" de ingestão alimentar.

Por todas as razões aqui citadas, a partir de hoje se empenhe em uma mastigação mais demorada e atenta. Essa é uma atividade que exige treino, mas uma vez incorporada à rotina, traz grandes benefícios.

Receita para a alma 

Salmo 111 – Abre os canais do amor

A força deste salmo está muito além de suas palavras. São inúmeros os códigos por trás delas, como por exemplo, o fato de palavras-chaves, na versão original em hebraico, terem sido escritas em precisa ordem alfabética, da primeira letra, Alef, até a última, Tav. É um salmo poderoso, que abre os canais curativos do amor e recupera a alegria oriunda da conexão com o amor do pai maior.

Para ler

Haleluiá! Louvado seja o Eterno! Louvarei ao Eterno com todo o meu coração, em meio à congregação dos justos. Grandes são as obras do Eterno admiradas por todos os que nelas se comprazem. Gloriosa e majestosa é sua obra e a sua justiça permanece para sempre. Fez com que as maravilhas fossem lembradas; clemente e misericordioso é o Eterno. Provê sustento aos que o temem; lembrar-se-á sempre de sua aliança. Revelou ao seu povo o poder de suas obras, para lhe dar a herança das nações. Verdadeiras e justas são suas obras, seguros todos os seus preceitos. Permanecem firmes para todo o sempre; feitas em verdade e retidão. Redenção enviou a seu povo; ordenou a sua aliança para sempre; santo e tremendo é seu nome. O temor ao Eterno e o bom entendimento de seus preceitos são o princípio da sabedoria; Seu louvor permanece para sempre.

Mantra: HAHA

9º dia – A FORÇA OCULTA

A nona letra sagrada, **Teth**, ensina que somos muito mais fortes do que acreditamos ser. Quando diante de um contato não visível pelos olhos físicos, mas que traz inspiração e abre o canal com a presença divina, recarregamos as baterias da alma.

Receita para a mente 

Contato com a força oculta

Era sexta-feira santa, ano de 1982, quando uma mulher de 51 anos trocava o pneu de seu carro, um Chevrolet Impala, na cidade de Atlanta, EUA. O macaco que segurava o carro falhou e o carro desabou, deixando seu filho preso e inconsciente no vão da roda que ela havia retirado.

Ângela não teve tempo de pensar: colocou os braços por baixo do carro, agarrou o para-choque de metal e conseguiu levantar o veículo (1.500 quilos) o suficiente para aliviar a pressão sobre seu filho, que saiu de lá ileso, sem um único arranhão.

Esse episódio verídico ilustra bem o tema desta nona letra sagrada, **teth**: a força oculta, essencial para o abandono de vícios e maus hábitos que drenam a energia. Fazemos contato com ela acendendo uma vela branca para o nosso anjo da guarda.

Acenda a vela no horário que você preferir, faça uma oração com muita entrega e, durante 24 horas, procure ficar mais silencioso e consciente. Ao acender a vela, peça proteção e força para seguir um caminho de luz, voltado para a evolução da alma.

Se você não sente a presença do anjo da guarda em sua vida, acenda a vela diretamente para o criador do universo. O mais fundamental é perceber o quanto a submissão a uma força maior é importante em uma dieta que procura não apenas um resultado imediato, mas algo mais permanente.

Para Lembrar:

A prática do "Não aos vícios", longe de ser um exercício para apenas um dia, precisa ser uma constante ao longo de toda nossa dieta. Ela ajuda a gravar um comando na mente e reforça nossas inclinações mais positivas.

Receita para o corpo

Comida viva

Chamamos comida viva o alimento encontrado como é na natureza, sem cozinhar ou congelar. Uma alimentação que traz saúde e amplia o contato com informações que foram perdidas na vida moderna, essenciais para a realização de nossa missão no planeta Terra.

Como sugestão para hoje, temos o suco vivo, que é um suco mágico. Ele deve conter ao menos uma hortaliça, um legume e uma fruta. Se você não tiver como tomá-lo hoje, procure se alimentar ao máximo de alimentos vivos e tome o suco assim que possível, dentro dos 22 dias da Dieta da Cabala.

Dica do cabalista:

Suco vivo

Coloque duas maçãs picadas sem sementes no liquidificador. Bata com um pepino para auxiliar na extração do líquido dos vegetais. Acrescente folhas verdes comestíveis, tais como couve, hortelã, alface etc. Procure adicionar uma raiz, por exemplo, inhame, ou então uma berinjela (tudo cru). Não se preocupe com as proporções, siga sua intuição e vai dar certo. Se possível, opte por orgânicos. Coe em um coador de pano, beba em seguida e se delicie com a força da energia vital!

Para adicionar grãos germinados

Se você adiciona sementes germinadas no suco, torna-o muito mais potente, mas, neste caso, é preciso germinar os grãos. Como fazer:

Coloque duas colheres de sopa de grãos em um vidro e cubra com água (sugestões: girassol, linhaça, gergelim, grão-de-bico, amendoim, lentilha ou ervilha). Deixe de molho por uma noite. Cubra o vidro com um pedaço de filó. Despeje a água e enxague sob a torneira. Coloque o vidro em um escorredor em lugar fresco. Enxague pela manhã e à noite. Os grãos podem ser consumidos logo que sinalizam o processo de germinação, quando atingem potência máxima.

Receita para a alma 

Salmo 34 – Força espiritual

Um grande aliado para os processos de desobsessão e limpeza espiritual. O salmo é repleto de códigos que fazem sucessivas evocações ao nome sagrado de Deus, de forma que seus anjos possam proteger e inspirar você a andar por caminhos repletos de Luz.

Para ler

Bendirei o ETERNO em todo o tempo, o seu louvor estará sempre nos meus lábios. Gloriar-se-á no ETERNO a minha alma; os humildes o ouvirão e se alegrarão. Engrandecei o ETERNO comigo, e todos, a uma, lhe exaltemos seu nome. Busquei o ETERNO, e ele me acolheu; livrou-me de todos os meus temores. Contemplai-o e sereis iluminados, e o vosso rosto jamais sofrerá vexame. Clamou este aflito, e o ETERNO o ouviu e o livrou de todas as suas tribulações. O anjo do ETERNO acampa-se ao redor dos que o temem e os livra. Oh! Provai e vede que o ETERNO é bom; bem-aventurado o homem que nele se refugia. Temei o ETERNO, vós os seus santos, pois nada falta aos que o temem. Os leõezinhos sofrem necessidade e passam fome, porém aos que buscam o ETERNO bem nenhum lhes faltará. Vinde, filhos, e escutai-me; eu vos ensinarei o temor do ETERNO. Quem é o homem que ama a vida e quer longevidade para ver o bem? Refreia a língua o mal e dos lábios o dolo. Aparta-te do mal e pratica o que é bom; procura a paz e empenha-te por alcançá-la. Os olhos do ETERNO repousam sobre os justos, e os seus ouvidos estão abertos a seu clamor. O rosto do ETERNO está contra os que praticam o mal, para lhes extirpar da terra a memória. Clamam os justos, e o ETERNO os escuta e os livra de todas as suas tribulações. Perto está o ETERNO dos que têm o coração quebrantado e salva os de espírito oprimido. Muitas são as aflições do justo, mas o ETERNO de todas o livra. Preserva-lhe todos os ossos, nem um deles sequer será quebrado. O infortúnio matará o ímpio, e os que odeiam o justo serão condenados. O ETERNO resgata a alma de seus servos, e dos que nele confiam, nenhum será condenado.

Mantra: IELÍ

10º dia – A PURIFICAÇÃO

IUD

A letra **Iud** é a única que "levita" no alfabeto hebraico. Ela fala sobre purificação e nos ensina a abandonar os excessos para seguir adiante com nossa missão maior neste mundo. Aromas, banhos, especiarias, orações, meditações e incensos, todos são úteis no processo de purificação, mas é bom lembrar: nada é tão eficaz quanto o despertar da consciência e a abertura do coração.

Receita para a mente 

Purificação

É fundamental largar o excesso de peso. São tantos compromissos, tantas atividades, tantos pensamentos, que a mente se torna sobrecarregada e quando você se dá conta, está carregando um monte de coisas desnecessárias. Como caminhar com tanto peso?

Por isso, hoje purificamos corpo, mente e alma. O corpo através da alimentação, ingerindo somente alimentos saudáveis. A purificação da mente é feita através de uma postura silenciosa, sem falar ou ouvir mal de ninguém. E a purificação da alma fazemos tomando um banho de sal grosso, do pescoço para baixo.

Antes do banho de sal grosso, faça uma oração pessoal e peça para a força superior ajudá-lo a liberar toda a negatividade que estiver acumulada. Enquanto faz isso, passe sal grosso por toda a pele, até os pés. Depois tome um banho normal e sinta a diferença na energia.

Para Lembrar:

Uma das mais poderosas práticas de purificação que existem é a troca do lamento pelo agradecimento.

Receita para o corpo 

Sopa detox

No dia da depuração, evite comer qualquer tipo de pão, doce ou massa. No café da manhã, dê preferência às frutas; no almoço e no jantar, alimente-se desta sopa. Trata-se de uma depuração notável, que renova a pele, o intestino, assim como o corpo emocional. Se você não puder fazê-la hoje, procure ao menos aprender a preparar os ingredientes e no primeiro dia que for possível, experimente!

A receita a seguir aprendi com um mestre de rara simplicidade, entusiasta da vida, que sorri para todos e não envelhece. Ensinou-me a preparar esta sopa que, além de limpar corpo, mente e alma, emagrece e sacia, e ainda contém elementos mágicos da numerologia cabalística.

Dica do cabalista:

Sopa de depuração

Os ingredientes são: 1 alho-poró, 2 litros de água, 3 talos de aipo, 4 cebolas médias, 5 folhas de espinafre, 6 folhas de bertalha, 7 dentes de alho, hortelã e salsa a gosto.

O alho combate os vírus, elimina gordura e faz bem ao fígado. A cebola é antisséptica e faz bem aos rins e à bexiga, além de baixar a taxa de glicose no sangue. O alho-poró é anticancerígeno e ainda traz um sabor especial. O aipo estimula a digestão, os intestinos e acalma. As folhas de bertalha e espinafre são ótimas para o intestino e ricas em importantes minerais, como cálcio, ferro e magnésio.

Deixe a sopa ferver com todos os ingredientes por cerca de 30 minutos, misture as folhas de bertalha e espinafre por último, apague o fogo e tampe. Opcionalmente, você pode acrescentar arroz integral bem cozido, o que lhe dará uma sensação maior de saciedade. Essa receita alimenta duas pessoas durante um dia.

Receita para a alma 

Salmo 27 – Purificação

Muitos deixam de seguir seus caminhos em função de traumas. Mas aqui Davi nos lembra que jamais podemos sucumbir às dificuldades, porque o pai maior, está sempre do nosso lado, quando caminhamos na direção correta.

Para ler

O Eterno é minha luz e minha salvação, a quem eu temerei? O Eterno é a fonte da força da minha vida, de quem terei medo? Quando malfeitores se aproximam para devorar minha carne, meus atormentadores e meus adversários, são eles que tropeçam e caem. Mesmo que um exército me cercasse, meu coração não temeria. Mesmo que a guerra se erguesse contra mim, nisso eu confio. Uma coisa pedi ao Eterno, que eu habite na Casa do Eterno todos os dias de minha vida, para contemplar o prazer do Eterno e meditar em seu Santuário. Sem dívida, pois Ele me guardará em Seu Abrigo no dia da aflição. No esconderijo de Sua Tenda, Ele me erguerá sobre uma rocha. Agora minha cabeça está elevada acima dos meus inimigos em volta de mim. Eu oferecerei em Sua Tenda oferendas de júbilo. Eu cantarei e entoarei louvor ao Eterno. Escuta, Eterno, minha voz quando chamo, favorece-me e responde-me. Por Tua inspiração, meu coração procura". Tua presença, Eterno, não escondas Tua presença de mim, não rejeites Teu servo em ira. Tu tens sido meu Auxiliador. Não me abandones, não me desampares, ó Deus de minha salvação. Mesmo que meu pai e minha mãe tenham me desamparado, o Eterno me acolherá. Instrui-me, Eterno, em Teu caminho e conduz-me na trilha da integridade por causa dos meus atentos adversários. Não me entregues aos desejos de meus atormentadores. Pois, eis que apareceu contra mim falso testemunho que inspira violência. Eu teria me desesperado, não fosse por minha fé perseverante na contemplação da bondade do Eterno nesta vida. Confia no Eterno, fortalece-te e Ele te dará coragem; e confia no Eterno.

Mantra: NEMIM

11º dia – CAUSA E EFEITO

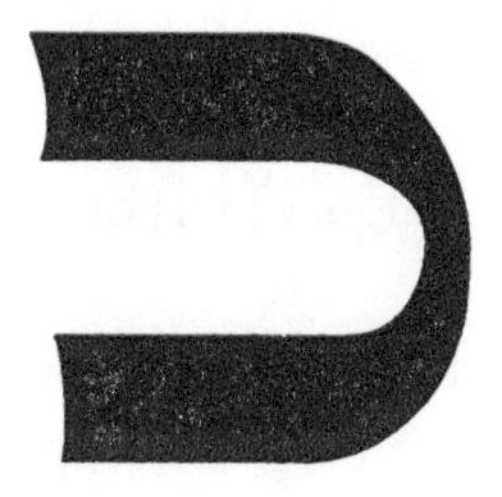

Segundo a Cabala, há um propósito maior por trás das inúmeras provações que passamos durante a vida: a correção da alma. O princípio básico de causa e efeito explica que as provações são também oportunidades de correção, para que a alma possa continuar a seguir o caminho do aprimoramento, motivo maior de nossa estada neste mundo.

Receita para a mente 

Presença

A correção mais importante que podemos fazer é evitar o devaneio e mentalizar no presente. Assim você desperta da ilusão e compreende quem realmente é. A prática da meditação é essencial para isso.

Procure fazer, tantas vezes quanto possível, uma meditação que fortalece o estado de presença. Você pode fazê-la sentado, de pé, ou mesmo caminhando, em qualquer local ou horário. São 3 etapas: Parar, Observar, Focar.

1. Parar: No momento em que você se lembrar do exercício, fale para você mesmo, algo como: STOP. Então, procure entrar em uma nova vibração, desacreditando qualquer pensamento, seja ele bom ou ruim.

2. Observar: Preste atenção às vozes internas e aos padrões repetitivos. Se você ouve o pensamento, ele se afasta, por perder a energia com a qual é alimentado: a identificação. O exercício da observação retira o excesso de energia da mente, trazendo lucidez e alívio imediato.

3. Focar: Dê atenção ao agora, torne-se consciente de sua respiração. Relaxe e sinta os ossos de seu corpo encaixados e dando sustentação para esta sua jornada no planeta Terra. Sempre que há um espaço no fluxo de pensamentos, lampejos de paz e alegria podem acontecer.

Não interessa se esse estado de espírito vai durar horas, dias ou anos, o fato é que, nesse momento, você atinge um estado de presença que lhe traz saúde e desperta a alma!

Para Lembrar:

A prática do abraço é valiosa para trazer a mente para o contato corporal e, por conseguinte, para o momento presente. E é bom lembrar que não há palavra que substitua a energia amorosa que um abraço proporciona.

Receita para o corpo 

Inhame para restaurar a saúde

O inhame é um alimento medicinal, energético, que traz força para o corpo realizar suas correções e prosseguir em sua missão primordial neste mundo: servir ao espírito.

É também um alimento excelente para o controle do peso, pois é rico em fibras e quando ingerido promove sensação de saciedade. É também boa fonte de magnésio, um mineral que ajuda no metabolismo dos hidratos de carbono, importantes na produção de defesas antioxidantes. Seus hidratos de carbono retardam a taxa com que os açúcares são liberados e absorvidos pela corrente sanguínea.

Abraham Abuláfia, memorável cabalista que viveu no século XIII, recomendava especialmente o inhame para a imunidade e limpeza do sangue. Ele ensinava que, ao perceber os primeiros sinais de uma gripe ou resfriado, devemos fazer uma dieta focada nessa raiz, que fortalece os gânglios linfáticos de defesa do sistema imunológico.

Dica do cabalista:

Formas de consumir o Inhame

- Suco: Batido cru no liquidificador, com água, frutas ou folhas verdes.
- Salada: Rale o inhame, tempere com pouco sal e limão.
- Purê: Depois de cozinhar o inhame, solte a casca e amasse com um garfo, adicione um pouco de manteiga e sal, ou shoyu.
- Com feijão: Cozinhe o inhame junto com o feijão, até que ele desmanche e engrosse o caldo.

Receita para a alma 

Salmo 29 – Para a correção pacífica

O salmo evoca exatas dezoito vezes o nome do criador, essa é a numerologia da palavra vida. Fazemos conexão com o Salmo 29 com o intuito de ver mais rapidamente o resultado das boas sementes que plantamos.

Para ler

Salmo de David. Rendei ao Eterno, ó filhos dos poderosos, rendei ao Eterno glória e força. Rendei ao Eterno a glória devida a seu Nome; prostrai-vos ante o Eterno que é pleno de esplendor e santidade.
A voz do Eterno ressoa sobre as águas; o Eterno de Glória faz trovejar, o Eterno está sobre a vastidão dos mares. A voz do Eterno se manifesta em força, a voz do Eterno se manifesta em majestade.
Sua voz despedaça os cedros do Líbano. O Eterno quebrou os cedros do Líbano; o Eterno os faz saltar como bezerros, os próprios montes do Líbano e Sirion, como filhotes. A voz do Eterno emite línguas de fogo. A voz do Eterno faz tremer o deserto de Cadesh. A voz do Eterno faz tremer as corças e convulsiona as árvores dos bosques, enquanto no Seu Templo tudo proclama Sua Glória.
Acima do Dilúvio estabeleceu o Eterno Seu trono e como Rei permanecerá pela eternidade afora. O Eterno concederá força ao Seu povo; o Eterno o abençoará com paz.

Mantra: IELAH

12º dia – PARA MUDAR UM DESTINO

Das letras hebraicas, **Lamed** é a que mais se eleva. Ela fala de um momento especial na vida daquele que se dedica à autorrealização, quando se desfazem as amarras e escreve-se um novo destino.

Receita para a mente 

Oração para realização

A astrologia cabalística nasceu de um texto escrito pelo patriarca Abraão, que descobriu que, independente de signo, de ascendente e de uma série de outras configurações astrológicas, podemos nos tornar livres e recriar nosso destino. Fomos feitos à imagem e semelhança do criador e a nós foi dado livre-arbítrio, para que possamos nos conectar à fonte de toda a força: um inigualável poder divino!

No dia de hoje (e a partir dele, se possível), lemos a oração abaixo. São palavras de consciência, que nos ajudam a lembrar que não somos apenas efeito, mas principalmente causa de nossa vida.

Oração da realização

Agradeço por este novo dia, pelos pequenos e grandes dons que colocaste em nosso caminho a cada instante desta jornada. Agradeço por descobrir que dar e receber são na verdade uma mesma coisa.

Agradeço até mesmo pelas dificuldades do caminho, porque sei que por trás de cada obstáculo, há grande luz a ser revelada.

Que Deus me ajude a ampliar minha visão e a perceber que minha realidade é fruto do foco dos meus pensamentos. Assim, poderei lembrar que vejo o mundo e as pessoas não como elas são, mas como eu sou.

É minha decisão, a partir de agora, colocar o foco naquilo que é construtivo, e para tal me determino a plantar as mais positivas sementes.

Peço força para desenvolver a virtude do desapego, para que possa lembrar que nada de material nos restará quando deixarmos este mundo físico.

É com humildade que abandono agora minhas expectativas, porque sei que meu poder é ilusório. A força que guia minha vem de um lugar único e maravilhoso muito acima do meu controle. Guiado por essa força, jamais desistirei daquilo em que realmente acredito, da minha missão de levar luz ao mundo e aos que me cercam. Amém!

Para Lembrar:

Diariamente colocamos trocados em um cofre que ao final da dieta será doado para alguém necessitado. Quem compartilha constrói um destino com muito mais felicidade.

Receita para o corpo 

Azeite que eleva

Hoje introduzimos em nossa dieta o azeite. Um alimento bom para o corpo e para o espírito e há milênios utilizado para rituais de unção, conforme citação em diversas passagens na Torá.

Em termos de nutrição, o azeite é também muito recomendado, porque ajuda a manter bons níveis de colesterol no sangue, evitando problemas cardiovasculares. Uma "gordura boa", vital na renovação celular e na proteção dos órgãos.

No entanto, se você tem problemas com consumo de calorias, utilize-o com parcimônia, não mais que 3 colheres de sopa ao dia, pois apesar de ser um alimento bom para o coração e transporte de vitaminas, ele é essencialmente calórico.

O processo de confecção do azeite torna-o um alimento ainda mais especial. Na produção, a azeitona tem que ser prensada rapidamente, pois o azeite da oliva precisa ser separado da água e filtrado, para então receber a classificação de acidez, que pode ser extravirgem (até 0,8%), virgem (até 2%) ou lampante (superior a 2%). O extravirgem é o que traz maiores benefícios para a saúde.

Dica do cabalista:

Azeite sagrado

Notáveis mestres cabalistas da região do Mediterâneo, na Europa, recomendavam o azeite em sua dieta alimentar. Um prato que eles apreciavam muito era o bacalhau. Diferente do que fazemos por aqui, primeiro eles colocavam o azeite no prato vazio e depois adicionavam o peixe. Em termos físicos, dá no mesmo, mas energeticamente há diferença, pois dessa forma reproduz-se simbolicamente a escada da árvore da vida e o acesso aos mundos superiores.

Receita para a alma 

Salmo 06 – Para elevar a alma

"Adonai ouviu o meu pranto. Adonai ouviu a minha súplica."

Este salmo é uma oração de rara beleza. Devemos recitá-lo para procurar a mudança de rumo em uma situação antiga, que incomoda e tira as forças, tais como um vício, uma obsessão, uma doença grave e até mesmo na tentativa de salvar uma pessoa da morte. O salmo precisa ser recitado com total devoção e emoção, como está escrito, para que Deus escute e atenda a nossa prece.

Para ler

Adonai, não me censures em tua ira nem me disciplines no teu furor. Favorece-me, Adonai, pois sou fraco. Cura-me, Adonai, pois os meus ossos tremem; minha alma toda estremece. E tu, Adonai, até quando? Volta-te, Adonai, livra minha alma, salva-me por tua benevolência. Não há menção de ti na morte. No túmulo, quem te louvará? Estou cansado de tanto suspirar. De tanto chorar inundo de noite a minha cama; de lágrimas encharco o meu leito. Os meus olhos se consomem de tristeza; fraquejam por causa de meus atentos adversários. Afastem-se de mim todos vocês que praticam o mal, porque Adonai ouviu o meu pranto. Adonai ouviu a minha súplica e aceitou a minha prece. Que sejam humilhados e aterrorizados todos os meus inimigos; frustrados, eles recuarão.

Mantra: RÊÊ

13º dia – A CURA

A letra **Mem** representa a água. Há milênios, os sábios cabalistas afirmam que a água possui grandes segredos de cura e longevidade, e que na hidratação espiritual e física das células está a chave para a regeneração da vida e a imortalidade.

Receita para a mente 

Água que cura

Mem é a letra inicial de Moshé (Moisés), um grande mestre de cura, e também inicial da palavra "Maim", que significa "água" em hebraico. Temos diversas referências nos textos sagrados sobre a relação entre a água e a vida no mundo físico. É através da água que a luz espiritual penetra o mundo físico.

A Cabala nos ensina a preparar um poderoso remédio curativo, somente utilizando essa substância divina. Chama-se Kodesh Maim, que traduzido significa: água santificada. Mas não é apenas um remédio, trata-se de uma forma de nos ligarmos à consciência divina.

Hoje começamos a aprender a preparar nossa própria "kodesh maim", estabelecendo relação de cura com toda a água que tomamos. Assim, sempre que você for tomar um copo d'água, procure antes passar alguns segundos transmitindo bons pensamentos e intenções para ela. Depois, então, você a toma.

Mas atenção: a água santificada deve ser mineral, devido a sua especial propriedade de "subir" (ela brota do solo), vencendo a ação da gravidade e, consequentemente, os padrões limitados do mundo físico.

Para Lembrar:

A prática da bênção é complementar a essa da água curativa. Por isso, antes de cada copo d'água, podemos também agradecer pela oportunidade da vida.

Receita para o corpo 

Água é vida

A partir de hoje nos dedicamos a tomar bastante água. Esse é o mais precioso alimento possível, hidrata as células, combate o envelhecimento e, para os que querem emagracer, é bom lembrar que boa parte de nossa alimentação costuma ser motivada não por uma real necessidade fisiológica, mas pela ansiedade. Nesse caso, a água é um ótimo substituto para a comida.

Muitos são os benefícios de uma dieta com maior ingestão de água, entre eles podemos citar:

- Desintoxicação: Através da urina e do suor, eliminamos as toxinas acumuladas no organismo. Ou seja, quanto mais água, mais toxinas são eliminadas. A água também facilita a evacuação.
- Hidratação: A hidratação do corpo combate infecções e auxilia no transporte de importantes minerais que fortalecem as defesas do organismo.
- Emagrecimento: A ingestão de água diminui a retenção de líquidos e contribui na redução de peso. Segundo uma pesquisa realizada na Universidade de Virgínia, EUA, beber 2 a 3 copos antes das principais refeições ajuda a controlar o apetite.
- Beleza da pele: A água ajuda na renovação celular e é um dos elementos fundamentais para retardar os efeitos causados pela idade.
- Absorção de nutrientes: Nutrientes e glicose precisam da água para serem absorvidos pelo corpo. O líquido é o complemento necessário para transportar esses nutrientes pela corrente sanguínea e distribuí-los pelo organismo.

Combine esta receita para o corpo (água em abundância) com a receita para a mente (cura com água) e você se surpreenderá com os resultados.

Receita para a alma 

Salmo 30 – Cura física

"Senhor meu Deus, a ti clamei por socorro, e tu me curaste."

De todos os salmos destinados à saúde, este é o mais eficaz, pois suas palavras têm profundidade para atingir o cerne da questão. A frase acima destacada é poderosa. Perceba que Davi está afirmando que já está curado.

Assim, ele deposita sua certeza no criador e se coloca na condição do que cura e do que é curado. Há grande sabedoria nisso, pois não devemos esperar a cura simplesmente cair do céu, mas sim participar ativamente dela, daí a força desse salmo.

Para ler

Salmo e cântico na dedicação da casa de David. Te exaltarei ó Eterno, pois tu me reergueste e não deixaste que meus inimigos se divertissem sobre mim. Eterno, meu Deus, a ti clamei por socorro, e tu me curaste. Eterno, tiraste-me da sepultura; prestes a descer à cova, devolvendo-me à vida. Cantem louvores ao Eterno, vocês, os seus fiéis; dêem graças ao seu santo nome. Porque sua ira é passageira, mas o seu favor dura toda a vida. O choro pode persistir uma noite, mas de manhã irrompe a alegria. Quando me senti seguro, disse: Jamais serei abalado! Eterno, com o teu favor, deste-me firmeza como uma montanha, mas quando escondeste a tua face, fiquei perturbado. A ti, Senhor, clamei, ao Eterno supliquei misericórdia: Se eu descer à cova, que vantagem haverá? Acaso o pó te louvará? Proclamará a tua verdade? Ouve, Eterno, e tem misericórdia de mim; Eterno, sê o meu auxílio. Mudaste o meu pranto em dança, minhas vestes de lamento em vestes de alegria, para que o meu coração cante louvores a ti e não se cale. Ó Eterno, meu Deus, te darei graças para sempre.

Mantra: MERRASH

14º dia – O PERDÃO

NUN

A letra **Nun** é associada ao perdão. Um tema-chave, pois é através dele que podemos remover as ilusões e perceber que os seres humanos são vulneráveis ao erro. Caso contrário, por que viriam a este mundo? Ao compreender isso, aproveitamos a mesma energia que outrora era gasta com julgamentos, para usufruir da oportunidade da vida.

Receita para a mente 

2ª revisão – Práticas de 8 a 13

Moshé Cordovero foi um cabalista memorável, que viveu no século XVI. Ele dizia: "Quando alguém o ofender, ou mesmo humilhar, diga para si mesmo: quais são os melhores sofrimentos nesse mundo? Aqueles que não me incomodam no meu serviço a Deus. Assim, quando os insultos recaírem sobre você, você alegrar-se-á com eles."

Sábio conselho, porque em estado de humildade ninguém procura o conflito. Se você cultivar essa virtude, cada vez que a voz do ciúme, mágoa ou raiva falar, você poderá lembrar que essa não é a sua voz e que você não deseja ser cúmplice de nenhuma forma de negatividade.

Agora completamos o segundo ciclo de sete, por isso, em vez de uma prática nova, fazemos uma revisão das seis anteriores. Procure fortalecer todas as práticas estudadas até aqui. São elas:

1º- Terapia do abraço: Procure abraçar mais as pessoas. Familiares, amigos, enfim, dedique-se a preencher o mundo com o seu afeto. Não há palavra que substitua a energia amorosa de um abraço.

2º - Acendimento de uma vela: Para seu anjo da guarda, ou mesmo para o Criador, junto com uma oração com muita entrega.

3º - Purificação de corpo, mente e alma: O corpo, ingerindo somente alimentos saudáveis. A mente, através de uma postura silenciosa, sem falar ou ouvir mal de ninguém. A alma, com um banho de sal grosso.

4º - Aqui, agora: Fortalece o estado de presença e a compreensão de como causa e efeito se expressam em nossa vida.

5º - Oração da realização: "Jamais desistirei daquilo em que realmente acredito, minha missão é levar luz ao mundo e aos que me cercam."

6º - Cura com a água: Ao tomar um copo d'água, procure transmitir bons pensamentos e intenções para ela.

Receita para o corpo 

2ª revisão

Estamos na 14ª receita, momento de pausa para fazer uma breve revisão das seis anteriores:

1º - Mastigar, um ato de amor: Uma mastigação correta exige treino, mas uma vez incorporada à rotina, traz benefícios múltiplos para o organismo.

2º - Comida viva: As sementes, hortaliças e frutos crus, como são encontrados na natureza, são concentrados vivos de informações. São excelentes tanto para a saúde física quanto para a não física.

3º - Sopa detox: Uma receita que limpa corpo, mente e alma, emagrece, não deixa você com fome e contém elementos da numerologia cabalística.

4º - Inhame que levanta: Alimento medicinal, que fortalece o sistema imunológico e traz força para o corpo realizar sua missão primordial neste mundo: servir ao espírito.

5º - O azeite que eleva: O azeite é um ingrediente sagrado e também benéfico para a saúde, vital na renovação celular e na proteção dos órgãos.

6º - Água é vida: Esse é o mais precioso alimento possível, hidrata as células, combate o envelhecimento e, para os que buscam o emagrecimento, é bom lembrar que boa parte de nossa alimentação costuma ser motivada não por uma real necessidade fisiológica, mas pela ansiedade. Nesse caso, a água é um ótimo substituto para a comida.

Receita para a alma 

Salmo 121 – Perdão

O Salmo 121 conecta com a Luz superior, deixando-nos confiantes e alegres por sabermos que não estamos sós. Quando fizer a conexão com este salmo, lembre-se que o personagem escolhido para libertar a humanidade não é um homem, mas um estado de consciência que pode ser atingido por você, agora.

Para ler

Um cântico para ascensão. Ergo meus olhos para o alto de onde virá meu auxílio. Meu socorro vem do Eterno, o Criador dos céus e da terra. Ele não permitirá que resvale teu pé, pois jamais se omite, Aquele que te guarda. Nosso guardião jamais descuida, jamais dorme. Deus é Tua proteção. Como uma sombra, te acompanha a Sua Destra. De dia não te molestará o sol, nem sofrerás de noite sob o brilho da lua. O Eterno te guardará de todo mal; Ele preservará tua alma. Estarás sob Sua proteção ao saíres e ao voltares, desde agora e para todo o sempre.

Mantra: LERRARR

TERCEIRA SEMANA

DIAS 15 A 21

Ingredientes de alimentação para a 3ª semana:

- *Oleaginosas, tais como avelã, amêndoa, castanha-de-caju, amendoim, castanha-do-pará ou nozes*
- *Maçã, beterraba e cenoura (para o suco da juventude)*
- *Goiaba e berinjela*
- *Amêndoas*
- *Vinho tinto*
- *Sol*

15º dia – O PACTO

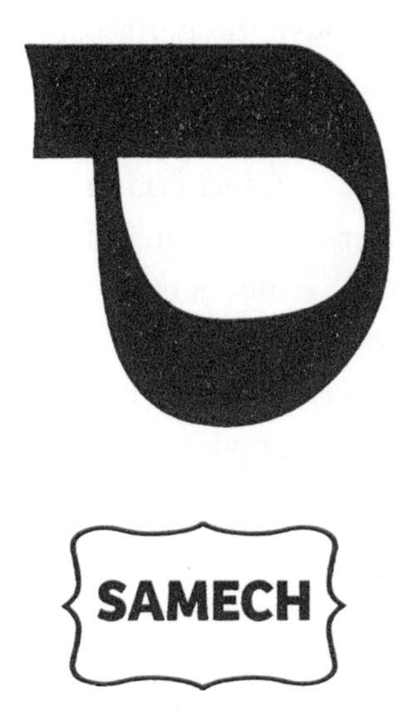

SAMECH

Essa é a única das 22 letras sagradas totalmente fechada, tem a forma de uma aliança e fala do pacto, um aspecto fundamental dos casamentos e caminhos espirituais. O recado aqui é: Tenha atenção especial com tudo aquilo que você compactua!

Receita para a mente 

Pacto com a palavra

A percepção do poder que emana das palavras pode ser a base de uma revolução pessoal. Quando você começa a focar na qualidade das palavras que pronuncia e ouve, desperta para uma nova consciência e uma nova maneira de olhar para o mundo. A mudança do foco muda também a realidade.

No dia de hoje, seja impecável com a palavra. Dedique-se às palavras boas, evitando falar ou ouvir mal de qualquer coisa ou pessoa. Ou seja, dedicação total à harmonia com as palavras em cada pequeno instante de sua vida.

Esse é o tipo de pacto em que vale a pena nos empenharmos. Não depende de ninguém externo, é viável de se cumprir e traz imensa luz para nossa vida.

Para Lembrar:

A 3ª receita da mente recomenda cuidarmos de um cofre e alimentá-lo com carinho para que, ao final da dieta, seja doado para os necessitados. Essa prática é iluminadora e abre os caminhos de quem doa e de quem recebe.

Receita para o corpo 

Pacto com a saúde – não ao açúcar branco

A eliminação total de doces não é objetivo de nossa dieta (a não ser, é claro, que você tenha problemas com a taxa de glicose no sangue). Mesmo porque deliciosos chocolates podem servir como calmantes e ajudar na produção de serotonina, hormônio que regula o humor. Mas o consumo excessivo de açúcar traz diversos riscos para a saúde.

Os doces são carboidratos muito calóricos e ricos em gordura. Quando o consumo é excessivo e suas atividades não são suficientes para gastar todas as calorias, há acúmulo de gordura corporal, que pode levar a doenças graves como hipertensão. E há ainda o risco de obesidade.

Por isso, em uma dieta focada na qualidade de vida e no bem-estar, é preciso mudar esse hábito. A diminuição do consumo de doces, refrigerantes e outros produtos com muito açúcar torna-se prioridade. Assim, hoje dizemos "Não" a todo tipo de açúcar branco, o mais letal dos açúcares.

Dica do cabalista:

Substituição de doces

Mel, estévia e açúcar mascavo são opções mais saudáveis que o açúcar refinado. Mais eficaz ainda é reaprender a sentir o sabor real dos alimentos. Por exemplo, saborear o gosto naturalmente adocicado das frutas em um suco. Procure reduzir aos poucos a quantidade de açúcar e adoçante, até que possa dispensá-los. Comecei a fazer assim com minha xícara diária de café, e de anos para cá passei a tomá-lo em sua versão natural, sem qualquer tipo de adoçante; é muito mais saboroso e saudável.

Preparando os ingredientes para o dia seguinte:
Maçã, beterraba e cenoura

Receita para a alma 

Salmo 26 – Pacto com o construtivo

No salmo 26, Davi destaca a felicidade que abençoa os que seguem um caminho de autoaperfeiçoamento focado no "eu superior".

Para ler

Salmo de Davi. Faz-me Justiça ETERNO, pois tenho andado em minha sinceridade; não vacilei e tenho confiado em ti. Examina-me, ETERNO, e prova-me; experimenta minha mente e meu coração. Diante dos meus olhos está a imagem de seu amor e por ele tracei meu caminho.
Não me associo com homens vãos nem converso com os dissimulados.
Abomino a companhia dos malfeitores; não me sento entre os ímpios.
Lavo as minhas mãos na inocência; e assim andarei, ETERNO, ao redor do teu altar. Para erguer minha voz em louvor e contar todos os teus maravilhosos feitos. ETERNO, amo a habitação da tua casa, lugar onde permanece a tua glória.
Não julgue minha alma com os pecadores, nem a minha vida com os sanguinários, em cujas mãos carregam malefício e suborno.
Caminho em minha pureza, sem mácula, livra-me e tem piedade de mim.
Pelos caminhos retos andarei, e por onde estiver louvarei ao ETERNO.

Mantra: MABÁ

16º dia – A VISÃO

A letra **Ayin** fala sobre a visão. Ela explica que existem dois tipos bem distintos de Luz. Uma é a luz que brilha com o sucesso, fama, beleza e poder. A outra é a Luz da presença divina, que recarrega a alma. Ela surge quando largamos as cascas da visão superficial e passamos a olhar todos os seres com olhos mais amorosos.

Receita para a mente 

Todo ser tem direito a sua porção de Luz!

O olhar físico representa importantes 10% da existência. O problema é o foco acentuado nele, que retira a energia necessária para a visão dos outros 90%, nos quais se encontram outras dimensões invisíveis aos olhos físicos.

A letra **Ayin** representa Capricórnio, e fala da uma grande realização: largar as cascas de uma visão superficial para tornar a vida uma experiência repleta de significado!

Assim, para cada pessoa que você olhar no dia de hoje, seja ele um mendigo, uma bela mulher, um artista ou mesmo um completo desconhecido, repita silenciosamente a frase: "Todo ser tem direito a sua porção de luz."

Procure se aplicar no exercício, pois ele é precioso para quem deseja remover o excesso de cascas e entrar em contato com uma nova experiência amorosa com a vida.

Para Lembrar:

A 5ª receita da mente pede para agradecermos, mesmo que silenciosamente, pelo alimento, e também diante das inúmeras situações do dia a dia, como ao acordar, antes de dormir e em pequenas pausas durante o período de trabalho.

Receita para o corpo 

Suco da juventude

Este é um suco mágico, que traz beleza para a pele e para o que está além dela. Ainda é refrescante, hidrata e tem um alto índice de vitaminas e minerais, que fortalecem a saúde do organismo. O suco é rico em ferro, combate a anemia, a constipação e aumenta a resistência física. Pode ser tomado diariamente, mas sem exagero, já que tem alto valor calórico em função da presença da beterraba e da cenoura.

- A beterraba é rica em vitaminas A e C, cálcio e ferro. Ajuda a melhorar o sistema imunológico, combate as células cancerígenas, previne a anemia e ajuda a baixar a pressão sanguínea.
- A cenoura é rica em betacaroteno, vitaminas A, C, B2 e B3, além de fósforo, cálcio, potássio e sódio. Ela é muito eficaz no combate à fadiga e a anemia, embeleza e rejuvenesce, dando à pele um rosado natural. Ainda melhora a visão e previne vários tipos de cânceres.
- A maçã é rica em vitaminas B1 e B2, niacina, ferro e fósforo. Em sua casca há grande concentração de pectina, que ajuda a reduzir o colesterol e a proteger as cordas vocais. Ela ajuda também na circulação sanguínea.

Dica do cabalista:

Suco de beterraba, cenoura e maçã

Separe uma beterraba pequena, uma cenoura e duas maçãs. Corte-as em pedaços pequenos e jogue-as na centrífuga (ou liquidificador). Acrescente gelo a gosto e beba em seguida.

A melhor maneira de usufruir das propriedades das frutas, verduras e legumes é utilizando uma centrífuga, pois dessa forma você não precisa adicionar água e aproveita integralmente importantes substâncias presentes nas cascas dos alimentos.

Preparando os ingredientes para o dia seguinte:
Berinjela, beterraba, morango e goiaba.

Receita para a alma

Salmo 123 – Remove as cascas da visão

"Elevo meus olhos a ti, que ocupas o trono nos céus. Assim como se fixam os olhos dos servos, atentos à mão de seus senhores e como os olhos das servas estão atentos à mão de sua senhora, voltam-se também nossos olhos para o Eterno."

O Salmo 123 repete diversas vezes a palavra "olhos". É um salmo forte, de louvor à força criadora e poderoso para remover as cascas da visão.

Para ler

Um cântico de ascensão. Elevo meus olhos a ti, que ocupas o trono nos céus. Assim como se fixam os olhos dos servos, atentos à mão de seus senhores e como os olhos das servas estão atentos à mão de sua senhora, voltam-se também nossos olhos para o Eterno, nosso Deus, e nele ficarão fixos até que ele tenha misericórdia de nós. Misericórdia, ó Eterno! Tem misericórdia de nós! Estamos exaustos de tanto deprezo. Nossa alma está cansada de tanta zombaria dos orgulhosos e do desprezo dos arrogantes.

Mantra: IEIAL

17º dia – A BOCA

A letra **Pei** tem a forma de uma boca e fala sobre o poder. A Cabala explica que o poder é a autonomia sobre os instintos. Ou seja, se você é capaz de não fazer algo que tem vontade, mas que lhe faz mal, então você adquiriu alguma autonomia sobre si mesmo.

Receita para a mente 

Dieta de Palavras

Falar mal do outro, se lamentar ou ouvir a maledicência alheia, independente de ser ou não verdade, deve ser evitado. Aquilo que não tem carater construtivo é melhor que nem seja pronunciado, porque a palavra, depois de proferida, se espalha pelo mundo.

Por isso, no dia de hoje coloque seu foco em tudo o que entra e sai de sua boca. Procure falar apenas o essencial e tenha especial atenção em tudo que você for beber e comer. Hoje você trata sua boca como um canal abençoado do criador, abençoando o que entra e o que sai dela.

Esse é um exercício poderoso, que traz libertação dos vícios, porque mesmo que amanhã você volte ao padrão anterior, algo importante será registrado em seu cérebro e também em sua alma: um real desejo pela Luz.

Para Lembrar:

Em estado silencioso se torna mais fácil a prática de ontem que dizia: para cada pessoa que você olhar no dia de hoje, seja ele um mendigo, uma bela mulher, um artista ou mesmo um completo desconhecido, repita silenciosamente a frase: "Todo ser tem direito a sua porção de Luz."

Receita para o corpo 

Suco da energia vital

Aqui revelamos uma combinação eficaz para levantar a energia, que pode também melhorar a libido, disposição geral e o desejo pela vida: berinjela, beterraba, morango e goiaba.

- A beterraba era considerada afrodisíaca pelos romanos, que herdaram esse conhecimento dos cabalistas do século I. A ciência comprovou que a beterraba é rica em ferro e potássio, essenciais para as taxas saudáveis dos hormônios sexuais do corpo.
- O morango aumenta o impulso sexual porque contém vitamina C, potássio e zinco. A forma e a cor da fruta são também estimulantes.
- A goiaba é um dos melhores antioxidantes naturais. Rica em licopeno e vitaminas do Complexo B, A e C, ela ainda apresenta importantes minerais como ferro, fósforo e cálcio. É um potente restaurador da libido.
- A berinjela é um legume poderoso. É rica em vitaminas do complexo B e C e uma grande aliada para a imunidade e para o equilíbrio do sistema nervoso; por conseguinte, contribui para o bem-estar físico e emocional. Sua casca possui antocianina, que diminui o nível de colesterol no sangue. É pouco calórica e excelente alternativa para os regimes de emagrecimento.

Dica do cabalista:

Berinjela, beterraba, morango e goiaba

Junte meia beterraba pequena, uma goiaba, três morangos, um copo com berinjela picada, adicione um copo d'água e, se quiser, uma maçã. Bata tudo no liquidificador ou centrífuga. Se você quiser, adicione uma colher de sobremesa de canela em pó e adoce com mel. O suco vai render dois copos. Procure tomá-lo fora das refeições. Ele levanta a energia!

Preparando os ingredientes para o dia seguinte:
Oleaginosas, em especial, amêndoas.

Receita para a alma

Salmo 91– Resgata o poder construtivo

Este salmo, codificado, menciona os quatro períodos do dia. Ele reforça que a mão protetora do Criador protege aquele que se dedica a ele com temor e amor. O salmo é especialmente recomendado para a libertação de sentimentos agressivos, tais como raiva, ira e inveja. Enquanto o recita procure manter sua mão direita junto ao coração.

Para ler

Aquele que habita na morada do Altíssimo, em sua sombra descansará. Direi do Senhor: Ele é o meu Deus, o meu refúgio, a minha fortaleza, onde deposito minha confiança. Ele te livrará do laço da armadilha, da peste devastadora. Ele te cobrirá com as suas penas, e sob suas asas encontrarás abrigo; a sua verdade será o seu escudo. Não temas o terror da noite nem a seta que voa de dia, nem a peste que anda na escuridão, nem o destruidor que assola ao meio-dia. Podem cair mil ao seu lado e dez mil à tua direita, mas tu não serás atingido. Somente teus olhos contemplarão e verão a recompensa dos ímpios. Pois disseste: "Adonai é o meu refúgio. E no Altíssimo fizeste tua morada. Nenhum mal te sucederá nem praga alguma chegará a tua tenda. Pois ele designará seus anjos para guardarem todos os seus caminhos. Te sustentarão nas mãos, para que não tropeces com o teu pé em qualquer pedra. Sem perigo pisarás o leão e a cobra, o filho do leão e a serpente. Porque ele me deseja, eu o livrarei; fortificar-lhe-ei porque conheces meu nome. Ele me invocará, e eu lhe responderei; Eu estou com ele na aflição; dela o retirarei, e honrarei. Fartá-lo-ei com vida longa, e o farei ver meu poder salvador.

Mantra: CLI

18º dia – O JUSTO

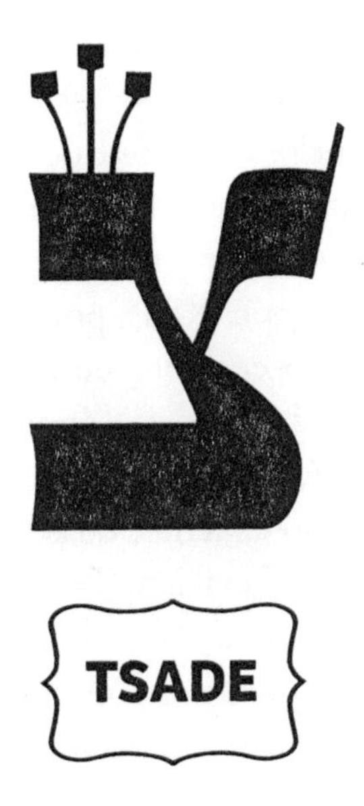

Admiráveis mestres penetraram dimensões magníficas, absortos em seus estados de superconsciência e nos deixaram autênticos mapas para a realização. Precisamos estudar suas obras com afinco, pois elas trazem um novo significado à experiência da vida!

Receita para a mente: 

Conexão com os mestres

Há mestres admiráveis que conseguiram desfazer o sistema de crenças que há milênios aprisiona a humanidade. Essa é a maior realização possível. Os que atingem esse ponto são chamados de "iluminados" pelos budistas, de "santos" pelos católicos e de "justo" pelos cabalistas. São homens de grande iluminação, que dedicaram a vida na direção do que não perece, nos deixando obras magníficas.

Rav Avraham Abuláfia (séc. XIII), por exemplo, foi um mestre de Cabala que revolucionou o conceito de aproximação do divino. De uma antirracionalidade notável para sua época, ele desenvolveu uma série de manuais de permutação de letras hebraicas, base de seu trabalho. Combinando e permutando as letras, quase sempre à noite e à luz de velas, os discípulos de Abuláfia viviam profundas experiências místicas, intensos estados de transe.

Esse é apenas um exemplo de um mestre que penetrou o âmago da realidade e testemunhou a existência de um plano universal divino, belo e pleno de alegria.

Para compreender, de fato, as obras que mestres iluminados nos deixaram, uma prática consistente de oração e meditação é prioritária. Assim, escolha um grande mestre pelo qual você tenha admiração e afinidade e faça um ritual de oração e meditação dedicado a ele. Dessa forma, você estará se permitindo receber uma grande bênção espiritual.

Para Lembrar:

A prática do 9º dia pode ser perfeitamente realizada em conjunto com esta. Ela diz: "Acenda uma vela para o seu anjo da guarda, faça uma oração com muita entrega e, durante 24 horas, procure ficar mais silencioso e consciente. Ao acender a vela, peça proteção e força para seguir um caminho de luz, voltado para a evolução da alma."

Receita para o corpo 

Sagradas oleaginosas

Oleaginosas são sementes ricas em antioxidantes, ajudam a reduzir o risco de desenvolver doenças cardíacas, diabetes e algumas formas de câncer. São importantes tanto para o emagrecimento quanto para quem visa ao ganho de massa muscular, e são ótimas opções para substituir hábitos nocivos. Elas podem ser consumidas nos lanches da manhã ou da tarde, mas, devido ao alto teor calórico, o consumo diário deve ser moderado. As principais são:

- Castanha-de-caju – Ótima fonte de zinco, combate anemia, melhora o humor e diminui sintomas de depressão, por causa do L-triptofano, aminoácido que ajuda na regulação do sono.
- Castanha-do-pará – É uma ótima fonte de selênio e ômega-3. Por outro lado, é a oleaginosa com maior concentração de gordura saturada. Geralmente, indica-se uma ou duas unidades por dia.
- Amendoim – Uma das maiores fontes de gorduras boas e de proteínas. Deve ser consumido com moderação, algo em torno de 30g/dia.
- Nozes – Ricas em fibras, ômega-3 e ômega-6, ajudam na sensação de saciedade, mesmo assim, jamais podemos exagerar na quantidade.
- Amêndoas – Estudos feitos pela Universidade de Louisiana e de Purdue mostraram que as amêndoas podem frear o apetite, regular as concentrações de glicose no sangue, diminuir a gordura abdominal e combater a diabetes. O ideal é comer 40g diariamente da versão natural, pois as salgadas carregam sódio, que em excesso é prejudicial ao organismo.

Dica do cabalista:

Diga amém para as amêndoas

Substituir beliscos e petiscos por oleaginosas é uma opção para quem quer emagrecer. Sempre que surgir a fome coma um pouco e distraia o estômago até a hora da refeição.

Preparando os ingredientes para o dia seguinte:
Vinho tinto (para quem ele não é contraindicado).

Receita para a alma 

Salmo 24 – Conexão com os mestres

Fazemos a conexão com o Salmo 24 para nos conectarmos com a força espiritual dos grandes mestres. Este salmo deve ser recitado com total abandono do ego e com a certeza de que devemos seguir o caminho dos mestres, que desprezaram as ilusões desse mundo em prol de uma vida repleta de significado e proximidade com o criador.

Um trecho em destaque no salmo fala do ingrediente de purificação mais intenso: "Quem subirá ao monte do Eterno? Quem estará no seu santo lugar? Aquele que é limpo de mãos e puro de coração."

Para ler

Salmo de Davi. Ao Eterno pertence a sua plenitude, o mundo e aqueles que nele habitam. Ele a fundou sobre os mares, e a firmou sobre os rios.
Quem subirá ao monte do Eterno? Quem estará no seu santo lugar?
Aquele que é limpo de mãos e puro de coração, que não entrega a sua alma à vaidade nem jura enganosamente, este receberá bênçãos, justa recompensa do Deus de sua salvação.
Esta é a geração daqueles que a Ele buscam, daqueles que buscam a Tua face, ó Deus de Jacó. Selá. Erguei portas, as vossas cabeças; levantai-vos, ó entradas eternas, e entrará o Rei da Glória.
Quem é este Rei da Glória? O Eterno forte e poderoso, Deus poderoso na luta. Erguei portas, as vossas cabeças, levantai-vos, ó entradas eternas, e entrará o Rei da Glória.
Quem é esse Rei da Glória? O Eterno dos Exércitos, ele é o Rei da Glória. Selá.

Mantra: IEIAI

19º dia – A ALEGRIA

KUF

Os mestres ensinam que, mesmo nos momentos mais difíceis, é possível reagir com bom humor, pois ao acordar do mundo ilusório, as tristezas e inquietudes são substituídas por uma alegria inabalável. A letra **Kuf** fala da alegria, o mais confiável critério para saber se sua evolução espiritual é real.

Receita para a mente 

Pacto com a alegria

Um pastor de ovelhas cuidava de seu rebanho quando surgiu em seu inóspito caminho uma Pajero 4x4 toda equipada. O veículo parou na sua frente e de lá desceu um homem de não mais que 30 anos, terno reto, camisa branca Hugo Boss, gravata italiana, sapatos moderníssimos bicolores.

— Se eu adivinhar quantas ovelhas há aqui, o senhor me dá uma? — perguntou ele.

— Sim — respondeu o velhinho meio desconfiado.

Então o homem voltou para a Pajero, pegou um laptop, se conectou à internet, identificou a área do rebanho em uma imagem de satélite, calculou o tamanho de uma ovelha daquela raça, e depois de três horas disse:

— O senhor tem 1.324 ovelhas e quatro podem estar grávidas.

O velhinho admitiu que sim, estava certo, e como havia prometido, poderia levar uma ovelha. O homem pegou o bicho e a colocou na sua Pajero. Quando estava saindo, o pastor perguntou:

— Desculpe, se eu adivinhar sua profissão, você me devolve a ovelha?

Duvidando que o velho acertasse, o homem concordou.

— O senhor é advogado! — disse o velhinho.

— Incrível! Como adivinhou?

— Quatro razões. Primeira: a frescura; segunda: veio sem que eu o chamasse; terceira: me cobrou para dizer algo que já sei; quarta: nota-se que não entende nada do que está falando. — Devolva já o meu cachorro!

No dia de hoje, dedique-se a atividades que lhe deem prazer e, principalmente, que te façam sorrir, como assistir a um filme de comédia, jantar com amigos, passear na natureza, enfim, faça disso uma prioridade.

Para Lembrar:

Procure abraçar mais as pessoas. Familiares, amigos... dedique-se a preencher o mundo com seu afeto.

Receita para o corpo 

Vinho em dose de alegria

O vinho é uma bebida ritualística associada a múltiplas bênçãos, e há milênios utilizada na comunhão das pessoas com o sagrado. Em excesso, é um estímulo à tolice e à doença, mas na dose adequada, relaxa, faz bem à saúde e ajuda a abrir o tão importante canal da alegria.

Estudos científicos afirmam que uma ou duas doses diárias de vinho podem proteger o coração, reduzir o colesterol e prevenir o entupimento das veias e artérias.

Quando o assunto é saúde, nem todos os vinhos são iguais. Algumas pesquisas favorecem os chilenos. Outras, o vinho caseiro feito no Uruguai, da uva Tannat, que possui alta quantidade de um flavonoide com benefícios antioxidantes. Os vinhos artesanais, em geral, são mais ricos em resveratrol, composto encontrado na casca das uvas vermelhas, associado ao retardamento do envelhecimento e combate ao câncer.

A produção do vinho é resultante de um longo processo, que passa por várias etapas: colheita da uva, maceração, fermentação, retirada das borras, clarificação, filtragem e, por último, envelhecimento, que é feito em tonéis. De uma safra para a outra, há variação de aromas e sabores, pois são inúmeras as condições que influenciam o processo, entre elas o tipo de solo, o teor de açúcar, a acidez, o sol e a chuva.

Enfim, o vinho tinto, em dose moderada, integrado à vida saudável e precedido de bênçãos (brindes com pessoas amadas também abençoam), pode ser um ingrediente inusitado de uma dieta focada no bem-estar.

Receita para a alma 

Salmo 47 – Resgatar a alegria

"Cantem louvores a Deus. Pois o Eterno, o altíssimo, temível, ele é o grande Rei sobre a terra."

Davi escreveu este salmo em agradecimento por suas vitórias. Mas não era pelas vitórias no campo de batalha, e sim pelas vitórias interiores, que permitiram a ele a transformação de um pastor cheio de complexos em um grande mestre espiritual.

Quando falamos em mágoas, o salmo toca no cerne da questão. Pois ao exaltar o criador e suas obras, tiramos o foco de situações do passado que nos magoaram, mas que só existem em nossa cabeça, e colocamos o foco na força superior, que nos traz alegria e criatividade.

Para ler

Para o condutor, pelos filhos de Corach, um Salmo. Batam palmas de alegria, todas as nações! Cantem louvores a Deus. Pois o Eterno, o altíssimo, temível, ele é o grande Rei sobre a Terra. Subjuga e nos dá força para vencer. Ele escolheu nossa herança para nós, a glória de Yacov, que ele ama, Selá. Deus ascende através do toque de teruá, do som do shofar. Cantem louvores ao Eterno, cantem louvores ao nosso rei, louvem a Deus com canções, pois ele é Rei sobre toda a terra. O Eterno está sentado em seu santo trono. Os nobres das nações juntaram-se à nação do Deus de Abraão, pois todo o poder deste mundo pertence a Deus. Ele é muitíssimo exaltado.

Mantra do salmo: RAZAI

20º dia – A SERENIDADE

A letra **Resh** ensina que a mente humana é uma poderosa estação transmissora. Se através dela você irradia ciúme, ira ou caos mental, os outros receberão esses pensamentos. Da mesma forma, se você irradia amor, alegria e tranquilidade, esses pensamentos terão efeitos sobre os outros, que responderão de maneira semelhante.

Receita para a mente 

Meditação de observação

Você já imaginou o que significa ser incapaz de parar de pensar? Essa é uma situação comum a quase todos os seres humanos. A cada minuto, novos pensamentos, projetos, lembranças, situações de medo, ansiedade, tudo isso sem qualquer propósito, surgem no pensamento. O ruído proveniente da contínua identificação com a mente impede o espaço de serenidade intrínseco ao verdadeiro ser.

Imagine a energia que você ganha quando deixa de ser um pensador compulsivo! A mesma energia pode ser utilizada para a alegria, o amor, a criatividade, para remover as cortinas que separam nossa realidade de outros mundos invisíveis.

A cura do pensamento compulsivo está na auto-observação. Assim, em vez de se identificar com a mente, você passa a observá-la, como quem assiste a um filme. Em alguns momentos são cenas de amor, em outros, de ódio, às vezes uma esperança por um futuro melhor, às vezes tristeza. Que diferença faz, se é apenas um filme?

Hoje, dedique-se intensamente ao trabalho de auto-observação e não identificação com a mente. É preciso que você se lembre dessa prática muitas vezes no dia, porque o modo caótico da mente tornou-se um hábito e somente com muita determinação é possível sentir a paz que brota de uma mente saudável.

Para Lembrar:

Falar mal do outro, se lamentar ou ouvir a maledicência alheia, independentemente de ser ou não verdade, deve ser evitado. Aquilo que não tem caráter construtivo é melhor que nem seja pronunciado, por que a palavra, depois de proferida, se espalha pelo mundo.

Receita para o corpo 

Vitamina D

Muitos estudos comprovam a importância da vitamina D na prevenção de doenças. Curiosamente, a melhor fonte dessa vitamina é gratuita e abundante para todos nós: o sol. Ele é responsável por cerca de 90% da produção de vitamina D pelo homem. Alimentos como leite, gema de ovo, manteiga, shitake e óleo de fígado de bacalhau respondem pelos outros 10%.

Através dos raios ultravioleta B, nosso organismo obtém a vitamina D e, com ela, melhora a absorção do cálcio, fortalecendo os ossos. No entanto, devido ao medo dos riscos de câncer de pele, a maioria das pessoas não toma o banho de sol mínimo recomendado para uma satisfatória absorção dessa vitamina tão preciosa para saúde do corpo.

O uso de protetor solar reduz em cerca de 98% a absorção da vitamina D, por isso o ideal seria uma exposição aos raios solares por 15 minutos diários, sem o uso de protetor. Mas como a absorção pelo rosto é mínima, o ideal é aplicar o filtro desde o primeiro minuto, assim como nos ombros, áreas consideradas mais vulneráveis ao câncer de pele pelos dermatologistas. Já no resto do corpo, somente após 15 minutos do primeiro banho de sol do dia.

Fato comprovado é que a produção de vitamina D é uma joia da saúde, que melhora significativamente a absorção do cálcio no organismo, controla diversas enfermidades e ativa o sistema imunológico, reduzindo o risco de câncer, de diabetes tipo 2, depressão, mialgias e tantas outras doenças.

Enfim, em um mundo tão farto de medicamentos e químicas sintéticas, descobrimos que um dos maiores aliados da saúde humana, que pode prevenir e mesmo curar uma infinidade de doenças, é gratuito, disponível em abundância, elemento fundamental que rege o sistema em que vivemos: o sol.

Receita para a alma 

Salmo 67 – Restaurar a paz mental

"Alegrem-se e rejubilem todas as nações, porque com equidade as julgarás, e pelo caminho reto as conduzirás."

Este salmo menciona a reunião dos exilados. A força de suas palavras desfaz as guerras, em especial a mais importante delas, aquela que acontece dentro da mente do homem. O melhor que podemos fazer pelo mundo é encontrar a paz interior, pois somente a partir dela é possível trabalhar pela paz do mundo.

Para ler

Ao mestre do canto, sobre instrumentos de cordas, um Salmo, um cântico. Que o Eterno nos conceda Sua graça e nos abençoe, e que faça sobre nós resplandecer Seu rosto, para que na Terra seja conhecido Seu caminho, e entre todas as nações, Sua salvação. Ergam-Te graças todos os povos. Que todos eles cantem em Teu louvor. Alegrem-se e rejubilem todas as nações, porque com equidade as julgarás, e pelo caminho reto as conduzirás. Ergam-Te graças todos os povos. Que todos eles cantem em Teu louvor. Possa então a terra produzir em abundância seus frutos; possa o Eterno, nosso Deus, nos abençoar. Sim, possa Ele nos abençoar e ser reverenciado e temido até os confins da Terra.

Mantra: RRARRU

21º dia – A PAIXÃO

Shin é a penúltima letra desse alfabeto sagrado. Associada ao elemento fogo, ela revela o fogo da paixão. Trata-se de um mergulho no escuro, um ato de entrega, até mesmo de insanidade, mas que traz um nível de experiência e gratificação que jamais poderia ser obtido pelo puro conhecimento intelectual.

Receita para a mente 

3ª revisão – Práticas de 15 a 20

Completamos o terceiro ciclo de sete, por isso, em vez de uma prática nova, fazemos uma revisão das seis anteriores. Procure fortalecer uma ou mais práticas que não foram exploradas em sua plenitude. As aprendidas até o momento são:

1ª - Pacto com a palavra: Seja impecável com a palavra. Dedique-se às palavras boas, evite falar ou ouvir mal de qualquer coisa ou pessoa, inclusive o lamento. Dedicação total na harmonia com as palavras em cada pequeno instante da vida.

2ª - Repita muitas vezes a frase: "Todo ser tem direito a sua porção de Luz!"

3ª - Dieta da palavra: Coloque o foco em tudo o que entra e sai de sua boca. Procure falar o mínimo possível e tenha especial atenção em tudo que você for beber e comer. Trate sua boca como um canal abençoado do criador.

4ª - Conexão com os mestres: Escolha um grande mestre pelo qual você tenha admiração e afinidade e faça um ritual dedicado a ele.

5ª - Pacto com a alegria: Procure atividades que lhe deem prazer e, principalmente, que façam sorrir. Enfim, faça disso uma prioridade.

6ª - Meditação de observação: Dedique-se ao trabalho de auto-observação e não identificação com a mente e se permita sentir a paz advinda de uma mente saudável.

Receita para o corpo 

3ª revisão

Estamos na 21ª receita. Vamos fazer uma breve revisão das seis anteriores:

1ª - Sem açúcares: Frutas oleaginosas são as sementes comestíveis de algumas plantas, tais como amêndoa, avelã, castanha de caju, castanha-do-pará, macadâmia e nozes. Ricas em antioxidantes, ajudam a reduzir o risco de desenvolver doenças cardíacas, diabetes e algumas formas de câncer.

2ª - Suco da juventude: Um suco mágico, refrescante, que hidrata e tem alto índice de vitaminas e minerais, fortalecendo o organismo.

3ª - Suco da energia vital: Aos primeiros sinais de uma gripe ou resfriado, faça uma dieta focada nessa raiz, que fortalece o sistema imunológico. Um alimento medicinal, que traz força para o corpo realizar a sua missão primordial neste mundo: servir ao espírito.

4ª - Sagradas oleaginosas: Ricas em nutrientes, combatem a flacidez, ajudam a manter o coração saudável, previnem doenças e ainda saciam o apetite. Ótimas substitutas para os beliscos e petiscos.

5ª - O vinho em dose de alegria: O vinho é uma bebida ritualística, associada a múltiplas bênçãos e há milênios utilizada na comunhão das pessoas com o sagrado. Em excesso, é um estímulo à tolice e a doença. Em dose moderada, integrado a uma vida saudável e precedido de bênçãos, pode ser um ingrediente de uma dieta focada no bem-estar.

6ª - Vitamina D: O sol é um dos maiores aliados da saúde humana, responsável por cerca de 90% da produção da vitamina D pelo homem. É gratuito, disponível em abundância e fundamental ao nosso organismo.

Preparando os ingredientes para o dia seguinte:
Comida vegetariana, ou seja, sem carne, peixe ou frango.

Receita para a alma

Salmo 142 – Abre os canais da paixão

Davi compôs o Salmo 142 quando estava na caverna, escondido do rei Saul. Ele o escreveu em um ato de entrega e confiança total a Deus. Esse é o ponto base para todas as formas de amor. Por isso, este salmo é poderoso: ele abre os canais curativos do amor e recupera a alegria que vem com a conexão com o amor do pai maior.

Para ler

Um maskil de David. Uma oração de quando ele estava na caverna. Com a minha voz clamo ao Eterno, com a minha voz suplico ao Eterno. Derramo a minha súplica perante a sua face; exponho minha angústia. Quando o meu espírito se angustia, tu me reconduzes com segurança no caminho repleto de perigos por onde ando. Olhei para a minha direita e não havia quem me conhecesse. Refúgio me faltou, ninguém para cuidar da minha alma. A ti, Eterno, clamei: Tu és o meu refúgio, e a minha porção na terra dos que vivem. Atende ao meu clamor, porque estou abatido. Livra-me dos meus perseguidores, porque são mais fortes do que eu. Resgata minha alma da prisão, para que eu possa louvar o teu nome; os justos me rodearão, pois os homens íntegros são coroados.

Mantra: IEVAM

22º dia – A IMORTALIDADE

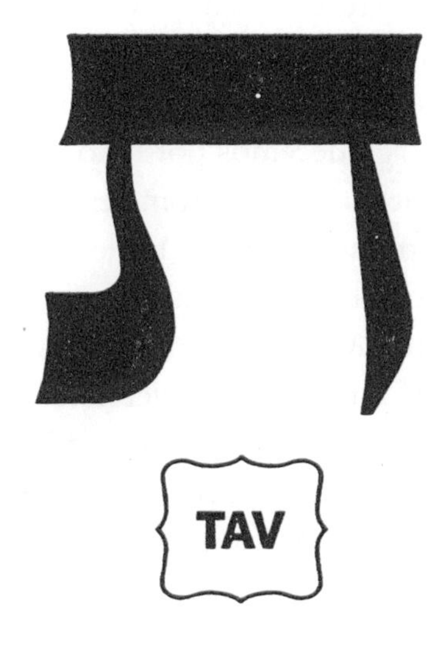

A letra **Tav** é a última do alfabeto hebraico e fala do tema mais profundo de nossa jornada: a morte. Ela nos ensina que a morte final não pode ser evitada, mas a que vem pelos pensamentos negativos, culpa, não aceitação, palavra negativa; essa sim podemos vencer. Ao focar no momento presente e vivê-lo em todas as suas possibilidades, deixamos de ser derrotados pelo anjo da morte, transformando cada novo dia em uma experiência de meditação e alegria!

Receita para a mente 

O perdão que revitaliza

Podemos dizer sim à vida que acontece a cada momento. É uma decisão que só depende de nós. Escolher não nos deixarmos mais derrotar pelo anjo da morte e receber cada novo dia como uma experiência de meditação e alegria!

Assim, encerramos nossa dieta hoje com um pequeno ritual de oração e meditação. Nele, agradecemos por tudo que aprendemos nesses 22 dias de intensa prática, nos comprometemos a trabalhar a serviço da Luz e pedimos à força superior que tome conta de nossa vida, nos orientando a trilhar somente por caminhos iluminados.

Se você gostar, introduza em sua rotina diária a oração abaixo. Há muita sabedoria nela. Mesmo que você acredite que haja uma situação ou pessoa que não merece o seu perdão, abra mão de seus julgamentos e se dê esse presente. Ao abrir as portas para o perdão, descobrimos o segredo de uma vida física e emocionalmente saudável.

Oração do Perdão

"Eu perdoo a todo aquele que me magoou e me zangou, ou que me fez mal, tanto ao meu corpo como a minha propriedade, a minha honra e a tudo que possuo; tanto contra sua vontade ou com sua vontade, tanto sem querer como premeditadamente, tanto com palavras como com ações; enfim, peço que nenhum ser humano seja castigado por minha causa. Seja o Eterno, nosso Deus, conosco; não nos abandone e não nos desampare."

Receita para o corpo 

Alimentação vital

Estudos da mandíbula e do aparelho digestivo do homem mostram que nossos ancestrais mais remotos eram vegetarianos. O incentivo a esse tipo pacífico de alimentação aparece inclusive no texto do Antigo Testamento: "Tenho vos dado todas as ervas que produzem sementes e se acham sobre a face da Terra, bem como todas as árvores em que há fruto que dá semente. Serve-os para mantimento." (Gênesis 1:29)

Sabendo dos benefícios da dieta vegetariana, diversos gênios da humanidade a adotaram, entre eles: Pitágoras, Leonardo da Vinci, Benjamin Franklin, Mahatma Gandhi, Albert Einstein e muitos outros.

Assim, terminamos nossa dieta com o mais tradicional prato da culinária brasileira: a feijoada. A novidade aqui fica por conta do preparo sem nenhuma carne, o que a torna muito mais saudável, leve de digerir e, o mais importante, não carrega a dor e o medo que os animais deixam no momento de seu abate.

Dica do cabalista:

Feijoada vegetariana

Os ingredientes são: 1/2 kg de feijão-preto, 200g de tofu, 100g de tofu defumado, 100 g de salsicha vegetal, 1 xícara de proteína de soja graúda e 1 xícara de palmito. Os temperos são: alho, cebola, louro, azeite e sal a gosto. Para prepará-la, deixe o feijão de molho durante a noite. Pela manhã, coloque o feijão na panela de pressão com água, acrescente o tofu picado, a salsicha e cozinhe por 28 minutos.

Em outra panela, frite o alho e a cebola no azeite. Adicione o feijão cozido, o palmito picado, a folha de louro e o sal. Deixe cozinhar por mais 14 minutos em fogo baixo e pronto: Você tem um prato delicioso.

Como acompanhamento, sugiro farofa de mandioca, com bastante cebola e azeitonas verdes, arroz integral, couve, pedaços de laranja e uma dose de pimenta-malagueta para esquentar.

Experimente essa receita e descubra como prazer e bem-estar podem conviver deliciosamente juntos!

Receita para a alma 

Salmo 62 – Eliminar a negatividade

Davi compôs este salmo para mostrar às pessoas que devemos confiar somente naquilo que não perece. O salmo afasta todo tipo de negatividade e evoca a força divina. Quando estamos diante dessa força, a lógica desse mundo se desfaz e novas possibilidades surgem bem diante de nós. No entanto, antes de recitar o salmo você precisa se perguntar se confia, verdadeiramente, na força superior.

Para ler

Ao mestre do canto, um Salmo de Davi. A minha alma espera somente em Deus; pois Dele virá o meu socorro. Deus é minha rocha e minha salvação, minha defesa, que não me deixa desesperar jamais. Até quando atacareis de forma traiçoeira o homem? Que todos vocês sejam abatidos, como uma parede encurvada, uma cerca a cair.
Eles somente consultam como o hão de derrubar da sua excelência; deleitam-se em mentiras; com a boca bendizem, mas em seu interior amaldiçoam. Selá. Somente por Deus espera minha alma, porque dele vem a minha esperança. Ele é a minha rocha, a minha salvação; a minha fortaleza, não me desesperarei jamais. Em Deus está a minha salvação e a minha glória; a rocha da minha fortaleza, a segurança de meu abrigo. Confiai sempre nele, ó povo meu, em todos os tempos; derramai perante ele o vosso coração. Ele é o nosso refúgio. Selá. Em vão se espalham as palavras dos homens, repletas de mentira as afirmações dos poderosos, pesadas em balanças se igualarão a vaidade. Não confieis na opressão e no roubo não deposites esperança, mesmo que cresçam, não ponhais nelas o seu coração. Uma coisa Deus falou, duas lições: que o poder pertence a Deus e que a Deus pertence a bondade, pois retribuirás a cada um de acordo com seus atos.

Mantra: NETAH

As 22 letras no corpo, mente e alma

Sq	Letra	Para a mente	Para o corpo	Para alma (Salmos)
1	Alef	Esvaziar	Redução de glúten	90
2	Beit	Bênção	Berinjela abençoada	50
3	Guímel	Prosperidade	Lentilha	23
4	Dalet	Portas	Não ao vilão	112
5	Hei	Sementes	Sementes de chia	32
6	Vav	Superação	Suco que levanta	04
7	Zain	Discernimento	1ª revisão	92
8	Chet	Amor	Mastigação	111
9	Teth	Força oculta	Comida viva	34
10	Iud	Purificação	Sopa detox	27
11	Caf	Causa e efeito	Inhame que levanta	26
12	Lamed	Novo destino	Azeite	06
13	Mem	Cura	Água	30
14	Nun	Perdão	2ª revisão	121
15	Samech	Pacto	Não ao açúcar branco	26
16	Ayin	A Visão	Suco da Juventude	123
17	Pei	A Boca	Suco da energia vital	91
18	Tsade	Mestres	Oleaginosas	24
19	Kuf	Alegria	Vinho	47
20	Resh	Serenidade	Sol	67
21	Shin	Paixão	3ª revisão	142
22	Tau	Imortalidade	Comida vegetariana	62

Considerações finais

Como a maioria das pessoas, passei uma longa época de minha vida acometido de vícios e comportamentos que drenavam minha energia. Isso tirava a força necessária para que eu pudesse viver guiado por um propósito maior, e perdurou por muitos anos, até que, um dado dia, conheci uma sabedoria que transformaria por completo minhas crenças e atitudes: a Cabala. Um caminho espiritual que se tornou especial para mim, ao falar ao meu coração.

Realizando diversas práticas, espirituais e físicas, para a aproximação do divino, chegou o dia em que pude sentir a brisa refrescante advinda de uma conexão com o criador, como aquela que Bill Wilson, o fundador dos Alcoólicos Anônimos, relata em sua biografia.

É sobre isso que a Cabala fala quando utiliza a expressão "injeção de Luz": A possibilidade de reconhecimento do quanto somos pequenos diante da existência e, por isso, entregar as maiores questões de nossa vida a essa força superior, que rege o universo. Ao abandonar os maus hábitos, abre-se espaço para o novo.

Nesse sentido, é importante que não estejamos sós, que possamos trocar experiências e, mais ainda, que possamos trabalhar com ferramentas que acessem essa força superior. Trata-se de uma abertura a uma experiência de transformação espiritual.

Foi a partir dessa experiência que decidi escrever este livro, para compartilhar receitas abençoadas, que podem trazer algo bom em todos os níveis da existência. Mas lembro que a prática é a base da transformação. Por isso, o ideal é que você faça a dieta da Cabala se comprometendo com os 22 dias de prática, pelo menos duas vezes ao ano. A cada vez que fazemos é mais profundo, mais transformador.

Independente dos períodos da dieta, é importante assimilar e colocar em prática os conceitos fundamentais.

No que tange ao corpo, somente a redução de sódio, açúcar e glúten e o aumento de alimentos vivos, sementes e água já trazem resultados muito expressivos.

Quanto à mente, manter os armários livres dos excessos, orar e meditar com mais constância, agradecer pela comida e pela vida todos os dias criando uma prática constante de compartilhar, já abrem caminho para grandes bênçãos. Aliás, você já pode doar para uma pessoa necessitada o cofrinho feito durante toda a dieta. Essa prática traz muita alegria para quem recebe e para quem doa.

No que se refere à alma, a prática de leitura de salmos é um grande alimento para ela. Recomendo que você leia salmos diariamente. Pode ler de acordo com os temas que mais precisar ou, se preferir, faça a sequência recomendada no capítulo 4. Salmos 112, 121 e 23.

Se desejar aprofundar mais sobre o tema da Cabala e a espiritualidade em geral, tenho diversos livros publicados. Você encontra informações completas sobre eles em www.portaldacabala.com.br. Se desejar me escrever, meu email pessoal é: ian@mecler.com.br.

Por fim, acredito que o significado maior de uma vida aparentemente efêmera neste planeta está na possibilidade de compartilharmos com o nosso semelhante. Esta é a mais eficiente forma de encontrar a felicidade: levar algo para o outro.

Quando saímos do "eu", abrimos espaço para que a força divina possa se instalar em nossa vida!

Ian Mecler

31 de julho de 2015

Este livro foi composto na tipologia Garamond,
em corpo 12/15 pt, e impresso em papel off-white no
Sistema Cameron da Divisão Gráfica da Distribuidora Record.